Für V. und M.

Prepaid-Taxi

„Ich wurde wach und konnte nicht wieder einschlafen. Also nahm ich mir mein Indien-Programm vor." Normalerweise erzählt Xenia mir beim Frühstück, was sie geträumt hat.

„Was für ein Indien-Programm?", frage ich argwöhnisch. Hat sie ohne meine Zustimmung schon alles festgelegt?

„Wir müssen doch wissen, womit wir in Neu Delhi beginnen", klärt Xenia mich auf. Daran kann ich nichts Diktatorisches finden.

„Also: Am ersten Tag gehen wir zum India Tourism Office – so ähnlich wird es wohl heißen. Dort holen wir uns einen Stadtplan."

„Stadtplan ist immer gut. Einverstanden." Wie schön, dass Xenia plant, wenn sie des Nachts wacht.

„Dann suchen wir die Straße Janpat, südlich des Connaught Place. Dort heben wir Geld bei der Deutschen Bank ab – das kostet mich nichts. Nun haben wir indisches Geld und kaufen ohne Probleme Tickets für Prepaid-Taxis."

Xenia verblüfft mich. Unter welchem Link hat sie diese Informationen gefunden?

„Ich kenne Prepaid-Karten nur fürs Handy. Seit wann gibt es denn so was für Taxen? Können wir nicht einfach, so wie hier, winken und mitfahren?", wundere ich mich. Im Gegensatz zu Xenia habe ich offenbar keine Ahnung von modernen indischen Sitten.

„Für den Anfang ist das sinnvoll, denn sonst muss man feilschen, und dabei wird man leicht übers Ohr gehauen. Deshalb kauft man am Taxischalter eine Karte, auf der Fahrtziel und Preis vermerkt sind. Die Karte lässt man bei Fahrtantritt vom Fahrer unterschreiben. Erst wenn man angekommen ist, händigt man sie ihm aus. Sonst sagt er am Schluss: ‚It's not enough.' Und verlangt einen Zuschlag."

Ich staune: Xenia ist ja unglaublich gewieft! Ich darf noch mehr staunen, denn das war nicht alles: „Später, mit ein bisschen

Übung verhandele ich direkt mit den Taxifahrern. Feilschen macht mir Spaß. Ich biete zunächst 40 Rupien an, der Fahrer lehnt entrüstet ab. Er fordert 120 Rupien. Ich gehe auf 60, der Inder schüttelt den Kopf. Als äußerstes nenne ich 80 Rupien. Dabei setze ich eine entschlossene Mine auf. Ungefähr so …" Xenia presst beide Kiefer aufeinander und betrachtet mich schmallippig und mit leicht zusammengekniffenen Augen. Diesen Blick kenne ich nur zu gut.

„Er soll wissen: Mehr gibt es nicht. Der Taxifahrer verzieht schmerzhaft das Gesicht, als müssten seine zahlreichen Kinder wegen meiner Knickrigkeit verhungern. Er verlangt nun – ebenfalls entschlossen – 90. Jetzt stimme ich zu. Seine Kinder sollen nicht verhungern."

Hat Xenia in der Volkshochschule bei der Gleichstellungsbeauftragten einen Gender-Kurs belegt? „Wie feilsche ich richtig mit fremden Männern?"

Mich stört allerdings, dass sie mich in ihren Planungen nicht berücksichtigt. Ha, ich werde ihr beweisen, dass ich besser feilschen kann als sie! Im letzten Moment, bevor Xenia bei 90 Rupien zustimmt, erhebe ich Einspruch und verkünde mit äußerster Entschlossenheit: „85 Rupien und keinen Euro-Cent mehr!"

Der Inder weiß meine Grimasse zu deuten. Er kennt die Machtverhältnisse in einer Paarbeziehung. Der Herr des Hauses hat das letzte Wort. Zähneknirschend fügt er sich. Ich sehe Xenia triumphierend an: „Na, wer hat hier durch geschicktes Verhandeln 5 Rupien rausgeholt, du oder ich?"

Sie wird ihre Niederlage einsehen und bereuen, dass sie nicht an mein überlegenes Verhandlungsgeschick geglaubt hat.

Xenia wechselt das Thema. „Mit dem Stadtplan können wir zu Fuß zum Zoo gehen. Er ist nur vier Kilometer entfernt." Ich stöhne innerlich. Vier Kilometer bei 30 Grad im Schatten und 98 % Luftfeuchtigkeit? Sie lässt nicht locker.

„Ich habe es heute Nacht auf dem Stadtplan nachgemessen." Auweh, ob sie auch alle Straßenkurven bedacht hat?

In Zukunft werde ich beruhigt schlafen können. Während ich gemütlich der Ruhe pflege, kümmert sich die schlaflose Xenia um die Reiseplanung.

Trotzdem trage ich meine Bedenken vor: „Warum willst du in den Zoo? Ich möchte bengalische Tiger in freier Wildbahn beobachten."

„Du hast wirklich keine Ahnung. Schon vor Jahren töteten Wilderer den letzten Tiger in freier Wildbahn. Tigerfett wurde in Asien als Potenzmittel teuer verkauft. Nein, mich interessieren nicht die Tiger, sondern die Vögel. Und im Zoo sehe ich, welche Tiere es in Indien überhaupt gibt oder gab. Noch wichtiger ist mir allerdings der Eintritt."

Na, das ist ja eine Überraschung! „Eintritt? Hab ich richtig gehört? Klar müssen wir für den Zoo Eintritt zahlen. Aber: Dir ist Geldausgeben wichtig? Das kenn ich überhaupt nicht von dir. Und jetzt freust du dich sogar darüber?"

Mit zufriedener Miene antwortet Xenia: „Ja, ist doch ganz einfach: Viele Inder können sich den Eintritt nicht leisten. Im Zoo gibt es also viel weniger Menschen als auf den Straßen. Das wird die reinste Erholung für uns. Auf der Straße wuselt, hupt und schlängelt es nur so um dich herum. Dort ist es verdammt eng, und dazu das Elend, der Lärm, der Schweiß von Millionen Menschen."

War Xenia gerade in Indien? Oder hat sie das geträumt?

„Warum willst du dann überhaupt nach Indien?", frage ich provokant. Xenias Seele ist mir immer noch ein Rätsel.

Sie zuckt die Schultern: „Ich will andere Kulturen kennen lernen. Auch wenn sie meinen Gewohnheiten widersprechen." Nachdenklich fügt sie hinzu: „Oder wenn es gefährlich wird."

Mutig, mutig, junge Frau. Wie oft hatte ich unsere Flugkarten für Indien schon zurückgeben wollen! Ich hatte Angst, dorthin zu fahren. Nach allem, was ich über das Land erfahren hatte. Noch immer soll es Witwenverbrennungen geben, obwohl sie schon von der britischen Kolonialmacht verboten wurden. Und dann wird man angespuckt, wenn man einem Bettler nichts gibt, so heißt es. Außerdem habe ich gehört, dass Frauen in den ständig überfüllten Bussen von oben bis unten – und besonders dazwischen – abgetastet werden. Aber das ist noch nicht alles: Schwarz auf Weiß musste ich den dringenden Rat lesen, alle Koffer im Zug anzuketten.

Xenia war inzwischen zum Filmfan mutiert. Woche für Woche pilgerte sie zur Max-Planck-Gesellschaft für Bildungsforschung. Dort studiert sie die Geschlechterrollen in Bollywood-Filmen. Jedenfalls sagt sie das. Neuerdings seufzt sie mit verdrehten Augen, wenn der Name des Bollywood-Stars Shah Rukh Khan fällt. Wahrscheinlich will sie nur seinetwegen nach Indien.

Wir werden vier Wochen dort verbringen, bei meinen doppelt angefreundeten Beinahe-Stief- und Schwiegerkindern. Sie wundern sich? Ganz einfach: Xenia und ich sind nicht verheiratet. Deshalb ist ihre ledige Tochter Vera meine angefreundete Stieftochter und ihr ebenfalls lediger Freund Mark ist lediglich mein doppelt angefreundeter Beinahe-Schwiegersohn.

Trotz der komplizierten Patchwork-Familienverhältnisse blicke ich zuversichtlich unserem Indien-Urlaub entgegen: Für Quartier ist gesorgt, und die Kinder werden uns kompetent in die Landessitten einführen und uns alles zeigen, was das Touristenherz begehrt.

Mit den Tickets hatten wir Glück. Mein Reisebüro ist in einer Baracke an der Bahnschranke untergebracht – klein, aber fein. Meine persönliche Urlaubsmanagerin dort konnte in ihrem Profibuchungsprogramm einen billigeren Flug finden als ich im Internet. Für eine einwöchige Rajasthan-Rundreise verlassen wir uns auf Touristik-Profis. Die von Tischler-Reisen kennen sich mit Indien aus. Ein Ausflug zu den Tempeln von Kajuraho passte nicht in unseren Terminplan. Aber ich will unbedingt die erotischen Darstellungen an den alten Hindutempeln studieren. Diesen Teil der Reise müssen wir also mit Hilfe des kleinen, aber feinen Reisebüros selbst organisieren.

„Was weißt du überhaupt von Indien?", frage ich Xenia. „Wir können ja mal zusammentragen, was uns einfällt. An Ort und Stelle werden wir sehen, wie weit die Klischees stimmen."
„Meinetwegen." Und schon legt sie los: „Curry kommt aus Indien. Und Ayurveda, teure Medizin und teure Küche. Soll alles sehr gesund sein. Mich wundert nur, dass die Inder nicht alle 150 Jahre alt werden. Wo sie doch über diese äußerst wohltuenden und angeblich so effektiven Behandlungsmethoden verfügen. Aber vielleicht wirken die erst bei Rechnungen ab 5.000 Euro."
„Du steigst ja intensiv ein. Hast du deshalb schon mal die Räucherstäbchen angezündet? Ich hingegen sehe einen Fakir vor mir. Er sitzt auf einem Nagelbrett und spielt Flöte. Damit bannt er eine Schlange. Sie schlängelt sich nach den Flötentönen in die Höhe."
Xenia sieht mich skeptisch an. „Sind das Kindheitserinnerungen? Hast du den Fakir im Zirkus gesehen oder in einem Märchenfilm?"
„Märchenfilm ist ein gutes Stichwort: der sagenhafte Diamant des Maharajas. Aber Märchenfilm? Nein, ich glaube, es war „Hi-hi-Hilfe" – mit den Beatles. Ach nee, die Beatles jagten einem Ring mit Diamanten hinterher. Aber viel Indisches kam darin vor. – Hieß der berühmteste Diamant nicht Koh-i-Noor?"
Xenia denkt einen Augenblick nach. „Der Koh-i-Noor gehört zu den Kronjuwelen der Queen."
„Na, klar", entgegne ich, „das britische Königshaus herrschte über die Kronkolonie Indien. Wahrscheinlich hat der oberste Kolonialbeamte den Koh-i-Noor unter irgendeinem Vorwand konfisziert. Der Vizekönig in Neu-Delhi hat den Koh-i-Noor dann seiner Queen in London geschenkt. So macht man sich bei seiner gekrönten Vorgesetzten beliebt."
„Heilige Kühe", wirft Xenia ein. Wie kommt sie jetzt von Queen auf Kühe?
Bei diesem Stichwort fallen mir meine Ideen ein, wie man wichtige Probleme Indiens lösen kann. Ob die Inder auf mich hören werden?

„Die Inder könnten doch diese herumlaufenden Kühe schlachten. Niemand bräuchte mehr zu hungern. Aber immer steht die Religion im Wege. – Ja, und dann habe ich gelesen, die Inder bauen eine teure Umleitung für eine Straße. Warum? Nur damit überquerende Ameisen nicht gestört werden. Die scheinen ja alle sehr tierlieb zu sein. Und ich glaube, das sind alles Vegetarier. Wie soll ich das überleben? Vier Wochen ohne Fleisch!"

„Man könnte es Achtung vor dem Leben nennen, wenn sie Rücksicht auf Ameisen nehmen. Darauf beruhte auch Gandhis gewaltloser Kampf um ein unabhängiges Indien." Xenia zeigt mir ein bisschen viel Empathie für Ameisen und Gandhi.

„Mich interessiert vor allem, wie die Inder ihre zweistelligen Wachstumsraten erreichen. In Deutschland können wir froh sein, wenn wir die Null überklettern. Gerade haben die Inder eine deutsche Privatbank aufgekauft, ich glaube, für eine Milliarde – Euro wohlgemerkt, nicht Rupien. Was kommt als nächstes? Daimler?"

Erstaunlicherweise wird auch Xenia von Zweifeln befallen: „Achtung vor dem Leben und Gewaltlosigkeit scheinen nur für Ameisen zu gelten, nicht für Menschen untereinander; Muslime und Hindus schlachten sich gegenseitig ab. Und befindet Indien sich nicht im Kriegszustand mit Pakistan – wegen Kaschmir?"

„Ach ja", seufze ich. „Man weiß von vielem nur ein bisschen. Und das sehr oberflächlich. Eigentlich müssten wir erst einmal ein Studiensemester zu Indien einlegen."

„Nö", sagt Xenia entschlossen. „Ich will das Land live kennenlernen – nicht aus Büchern."

Im Unterschied zu Xenia kenne ich mich eigentlich in Indien aus. Aber davon habe ich ihr nie etwas erzählt.

Es hatte 1968 nicht geklappt mit der Revolution, auch die Träume von einer besseren Welt erfüllten sich nicht. Aber im fernen Indien sollten seltsam friedfertige Menschen im Einklang mit sich und der Umwelt leben. Wie machten sie das?

Ich wollte die fernöstliche Lebensweise hautnah erfahren.

Vor dem KaDeWe sah ich Menschen in orangefarbenen Gewändern, die Tamburine schwangen, Schellen erklingen ließen und beglückt und mit halbgeschlossenen Lidern „Hare Krishna, hare, hare!" sangen. Sannyasins nannte man sie. Angeblich hatten sie der Welt und dem Materialismus entsagt. Aber so ganz asketisch sollten sie doch nicht leben: Die Liebe stillte wohl manchen Hunger und wurde reichlich genossen. Kurz gesagt, ich fand ein Leben von Luft und Liebe nicht uninteressant. Ich stellte meine drei Bücherkisten und einen Karton mit Kleidung bei Kommilitonen in den Keller. Dann brach ich nach Indien auf, um zu mir selbst zu finden. Meine persönliche Magical Mystery Tour führte mich über den Hippie Trail durch die Türkei, den Iran und Afghanistan nach Indien.

Schon die bulgarischen Grenzorgane bereiteten Schwierigkeiten. Man merkte ihnen deutlich an, was sie von langhaarigen, jungen Menschen hielten. Es stand in ihren Gesichtern geschrieben: „Asoziales Pack, arbeitsscheues Gesindel! Die sollten wir mal als Rekruten in die Finger kriegen!"

Je weiter ich nach Osten vorstieß, desto trockener und staubiger war die Gegend. Auf der offenen Ladefläche eines LKWs wurde ich durchgeschüttelt; asphaltierte Straßen gab es schon in der Türkei nicht mehr. Als ich vom LKW herabstieg, fühlte sich mein Rücken an, als hätte ich mir die Wirbelsäule dreimal gebrochen. Je höher die Berge um mich herum waren, desto mehr fror ich in der Nacht. Hätte ich doch wenigstens einen Pullover eingepackt! Aber wer denkt schon bei so viel Sehnsucht nach Spiritualität an einen Pullover …

Ich aß immer weniger, um meine Reisekasse zu schonen und mein Bewusstsein zu schärfen. In Kurdistan wurde ich überfallen, des wenigen Geldes beraubt, das ich noch hatte, immerhin kam ich knapp mit dem Leben davon. So musste ich gelegentlich Hunger leiden und erreichte abgemagert wie ein indischer Bettler das gelobte Land im Osten.

Der Weg war tatsächlich ein Teil des Ziels: Ich hatte mich in die Askese des Ostens bereits eingeübt.

An Pune lockte mich zusätzlich etwas anderes. Im Ashram des Guru Bhagwan Shree Rajneesh erlebte ich die Freuden der sexuellen Ekstase. Leider hatten die Hindu-Götter etwas gegen dauerhaftes Glück, jedenfalls teilten sie es mir nicht zu. Ich geriet mit dem Meister in einen Streit über Fragen der Spiritualität. Zwar hatte ich sein Gebot befolgt: „Schuhe und Verstand vor der Buddha-Halle draußen lassen!", aber unsere Meinungen zu Hingabe und zur meditativen Versenkung prallten unversöhnlich aufeinander. Er oder ich – das war die Frage. Leider wusste die Mehrheit der Sannyasins meine tiefschürfenden Gedanken nicht zu schätzen. Sie blieben dem blöden Sex-Guru treu. Ich hingegen zerriss mein orangefarbenes Gewand, schleuderte ihm meine Mala vor die Füße und verließ Pune.

Niemals hatte ich Xenia von meinen Erlebnissen in Indien erzählt, sie hätte mich für einen Lüstling gehalten.

Indien, ich komme!

Mir wird mulmig. Es ruckelt und zuckelt im Flieger. Zwischendurch sackt er ab. Turbulenzen über dem Hindukusch. Aber wir haben Glück. Die Taliban schießen uns nicht ab.

Endlich setzt das Flugzeug auf. Indien. Ach, was bin ich aufgeregt! Wir betreten die Wartehalle des Flughafens. Indira Gandhi International Airport, der größte der beiden Flughäfen Delhis ist nach der ermordeten Ministerpräsidentin aus der Gandhi-Nehru-Dynastie benannt. Jetzt beginnen meine vier Wochen Indien.

Ein Taxifahrer wird uns erwarten, hatte Vera, Xenias Tochter, am Telefon gesagt. Und glücklicherweise auch, dass wir ihn am Ausgang B finden werden. Wo hätte ich mich in dieser großen Halle hinwenden sollen?

Xenia entdeckt das Schild mit ihrem Namen und darunter einen lächelnden Inder, unseren Taxifahrer. Leider verstehen wir ihn nicht. Das soll Englisch sein? Stimmt, man hatte uns vor dem berüchtigten Indien-Englisch gewarnt! Englisch hat etwas Gutes für Indien. Wie sollten sich die Völker Indiens sonst mit ihren verschiedenen Sprachen verständigen? Aber das Englisch der Inder ist vom Hindi beeinflusst und so zu Hinglish geworden, mit einigen Besonderheiten auch in der Aussprache.

Wir verlassen das Gebäude. Morgendlicher Dunst und die gedämpfte Helligkeit kurz vor Sonnenaufgang schlagen uns entgegen. Die Luft schmeckt sauer auf der Zunge, es wird der gefürchtete Smog sein – aber schon am frühen Morgen?

Als unser Auto eine Schranke passieren will und unser Fahrer die Parkplatzgebühr entrichtet, gerät er mit dem Parkplatzwächter in Streit. So viel verstehe ich: Der Wächter verlangt mehr, als unser Fahrer bezahlen will. Er soll die doppelte Gebühr zahlen, weil er die volle Stunde um zwei Minuten überschritten hat. Es geht hin und her, aber der Wächter gibt nicht nach. Unser Fahrer erregt sich immer mehr. Da ein Ende des Streits nicht abzusehen ist, steigen wir aus.

Was für ein schöner Baum steht vor mir: kahl wie die Laubbäume eben noch im heimischen Berlin, aber übersät mit großen rot-orangenen Blüten. Welch leuchtende Farbtupfer im matten Morgenlicht! Der Baum blüht jetzt – wie die Magnolie: bevor er Blätter austreibt. Eine Erinnerung an Frühling. Viele Insekten schwirren um die tulpenähnlichen Blüten, die wiederum Vögel anlocken. Eine Krähe hält eine Blüte in ihren Krallen und krächzt triumphierend, als hätte sie fette Beute gemacht. Einzelne Blüten, deren Stiel schon vertrocknet ist, drehen sich um die eigene Achse. Ein leichter Wind genügt, um sie zu lösen. Der Boden unter dem Baum ist mit herabgefallenen beinahe faustgroßen Knospen und Blüten übersät. Ehrfürchtig hebe ich eine Blüte auf und nehme sie mit. Semal, sagt der Taxifahrer, als er die Blüte in meiner Hand sieht.

Inzwischen ist auch die Polizei erschienen, und weitere Taxifahrer beteiligen sich an der heftigen Diskussion. Nach einer halben Stunde gibt unser Fahrer wütend auf und zahlt. Vielleicht ist es ein Tagesverdienst, der ihm jetzt durch die Lappen geht, versuche ich mir seine Wut zu erklären.

Während der Fahrt überwältigen ihn Hustenanfälle, dann kurbelt er das Fenster runter und spuckt eine Ladung grünlich gelben Schleim hinaus. Bestimmt eine offene TB … ich glaube, dagegen bin ich nicht geimpft, obwohl ich in den letzten Monaten neun Impfungen über mich ergehen lassen musste. Inklusive Nebenwirkungen. Bin ich ein Opfer ärztlicher Inkompetenz geworden? War alles umsonst, obwohl es so teuer war?

Xenia hindert mich daran, in meinem Impfpass nachzusehen. Sie schmiegt sich Schutz suchend an mich. Das verstehe ich gut. Aber wie soll ich sie vor einem vom Taxifahrer verursachten Unfall schützen? Sein Fahrstil lässt mich immer wieder den Atem anhalten. Nicht, weil er besonders riskant fährt. Er fährt wie alle anderen: ständig hin und her huschend, jede Lücke nutzend, alle Augenblicke hupend. Wenn das mal gut geht! Wir werden Vera und Mark nicht lebend erreichen. Mindestens dreißig Mal rechne ich fest mit einer Karambolage und schließe die Augen.

Eine gute Fee leitet unsere Taxe knapp an Fußgängern, Motorrikschas und anderen Pkws vorbei. Plötzlich zeigt eine Ampel Rot, unser Fahrer fährt seelenruhig weiter, als ginge ihn die Ampel nichts an. Der Verkehr erscheint mir wie ein regelloses Gewusel, obwohl noch nicht einmal der Berufsverkehr eingesetzt hat. Lieber barfuß in eine Schlangengrube als hier selber Auto fahren! Um keinen Preis der Welt werde ich mich in dieser Stadt hinter ein Lenkrad setzen!

Vom Priesterkönig Johannes zu Vasco da Gama

Schon im Mittelalter entwickelte sich in Europa der Mythos: Die indischen Herrscher verfügten angeblich über sagenhafte Reichtümer. Die Beweise hielt man in der Hand: Seide, Edelsteine und Gewürze. Wer es sich leisten konnte, zahlte viel Geld für diese Schätze. Und wer verdiente an dem Handel? Die islamischen Reiche, die wie ein Riegel zwischen Europa und Indien lagen. Mit den Kreuzzügen wollten die christlichen Herrscher Europas die Macht des islamischen Blocks brechen. Das klappte nicht.

Also griff man begierig den Mythos vom Priesterkönig Johannes auf. Diesem christlichen Herrscher irgendwo am Rande der Welt wurden überwältigende Macht und unglaublicher Reichtum zugeschrieben. Er hatte angeblich ein Paradies auf Erden geschaffen. Merkwürdigerweise schlugen alle Versuche fehl, mit ihm Kontakt aufzunehmen …

Daraufhin hieß es: Lasst uns den Seeweg nach Indien finden! Heinrich der Seefahrer, Prinz von Portugal, förderte systematisch die Seefahrt entlang der afrikanischen Küste. Er gründete eine Seefahrerakademie, sammelte Seekarten aus ganz Europa und lud die besten Kartographen ein. Er setzte Preise dafür aus, dass jemand das gefürchtete Kap des Schreckens an der Westküste Afrikas überwand. Und er ließ 1441 eigens einen neuen Schiffstyp bauen: die Karavelle. Kolumbus glaubte 1492 ,West-Indien' entdeckt zu haben, doch erst Vasco da Gama landete 1498 wirklich in Indien. Seine Schiffe kehrten mit Pfeffer beladen zurück. Die arabischen und indischen Händ-

ler sahen ihr Handelsmonopol gefährdet. Zu Recht. Auf seiner zweiten Indienreise vernichtete da Gama eine vereinigte arabisch-indische Flotte.

Der profitable Seehandel bot jedoch nicht nur Vorteile: Nach monatelanger Lagerung im Schiffsrumpf schmeckte der Tee muffig, während er auf seiner langen Reise durch die Wüsten Zentralasiens und Arabiens sein Aroma erst richtig entfalten konnte.

Schöner wohnen in der Enklave

In Pamposh Enclave werden wir wohnen. Enklave: feine Gegend, reiche Leute, kein Dreck, gesichert – so stelle ich mir eine Enklave in Neu-Delhi vor. Wir steigen aus der Taxe und stehen vor einer Schranke, die den Eingang zur Enklave sichert. Symbolisch, wie ich in den nächsten Tagen bemerken werde. Die Schranke wird nie geschlossen. Trotzdem ist es hinter der Schranke relativ ruhig, weil der Durchgangsverkehr draußen bleibt. Kein Wächter bezieht bei der Schranke Posten. So reich können die Einwohner der Enklave also nicht sein, nun gut, es ist nicht das Diplomatenviertel. Aber jeder gut situierte Inder, der etwas zu verlieren hat, leistet sich einen Wachschutz. Vera und Mark sind für indische Verhältnisse gut situiert: Er wurde von seiner Firma als Vertriebsingenieur nach Indien geschickt, und Vera arbeitet als Journalistin für deutsche Zeitungen. Beide leben schon ein Jahr hier. Ich staune, wie gut sie sich mit Land und Leuten auskennen.

Noch etwas fällt mir gleich auf: Hier wird ständig gefegt. Überall liegen trockene Blätter herum, obwohl die meisten Bäume voll belaubt sind. Es gibt keinen Winter in unserem Sinne. Die Bäume treiben neue Blätter aus und werfen gleichzeitig alte ab. Vor unserem Haus fegen zwei Frauen mit einem Reisigbesen die staubige Straße.

Am nächsten Morgen weckt mich Sufi-Musik. Wenigstens nicht Punk, womit mich zu Hause der Verrückte aus dem Erdgeschoss gelegentlich aus dem Bett wirft. Aber auch Sufi-Musik kann dröhnen. Ein lang gezogener Ruf „eeeeja" durchbricht das Straßenkonzert, vielleicht heißt es „Sammlung" oder „Papier"; ein Altwarensammler macht sich akustisch bemerkbar. Nur wenn er möglichst laut, schrill und unaufhörlich sein Markenzeichen schmettert, kann er eine gewisse Aufmerksamkeit erhaschen. Das erinnert mich an frühere Zeiten, als es „Eiermann!" durch die Straße schallte.

Jetzt, da ich schon mal wach bin, beschäftige ich mich mit der Aussicht aus meinem Fenster. Was haben eigentlich diese merkwürdigen schwarzen Gebilde auf den Dächern zu tun? Handelt es sich hier um ein typisches architektonisches Merkmal dieser vornehmen Wohngegend?

Auf meine Frage antwortet Mark später: „Das sind Wasserbehälter." Meine Neugier ist wieder einmal geweckt. „Ach. Hat hier jedes Haus einen eigenen Brunnen? Gibt es eine dezentrale Wasserversorgung aus der Vor-Mogulzeit?"

„Nein, nein", seufzt Mark, „das sind Plastiktanks, weil der Wasserstrahl aus dem Hahn regelmäßig versiegt. Die Rohre sind marode; es versickert zuviel Wasser. Man ist also ständig auf eigene Reserven angewiesen. – Im Übrigen: Dort oben auf dem Dach bei den Plastiktanks wohnen die Servants, die Diener. Es ist ja warm. Wozu benötigt man da Dienstbotenzimmer."

Mark hat die Realität beschrieben, ich empfinde seine Sätze trotzdem als zynisch, aber ich weiß, es spricht eher Verbitterung aus ihm. Am liebsten würde er wohl einen Plan zur Sanierung der Wasserversorgung in Delhi aufstellen.

„Wollt ihr mitkommen? Ich hole einen Tisch ab", fragt Vera plötzlich.

„Na klar, gleich ein bisschen Atmosphäre schnuppern!", antworte ich. Auch Xenia nickt begeistert.

Eigentlich sind wir noch müde vom Flug. Egal, ein wenig ausgeruht, ein wenig frisch gemacht – schon kann es losgehen. Wir sind ja nicht zum Faulenzen hier!

Vera erzählt uns die Geschichte dazu: „Ich hatte dem Tischler die Maße gegeben. Das gefiel ihm nicht. Ein Tisch muss höher sein, meinte er. – Mein Tisch soll aber niedrig sein, beharrte ich. Warum?, fragte er. – Es wird unser Couchtisch. Wir sitzen auf der Couch und legen unsere Füße auf den Tisch, erklärte ich ihm. – Füße? – Deutlich stand in sein Gesicht geschrieben: Die spinnen, die Deutschen. Kopfschüttelnd gab er nach, Auftrag ist Auftrag. Ein handgefertigter Tisch kostet hier wenig. Dafür wird er aus minderwertigem Holz gefertigt, monkey wood, nennen sie es geringschätzig, Affenholz. Mal sehen, was daraus geworden ist."

Juchhu!, die erste Fahrt in einer offenen Motorrikscha. Es zieht mächtig. Vielleicht hätte ich mir doch eine Jacke anziehen und einen Schal umbinden sollen? Aber es ist warm, frühsommerlich nach unseren Maßstäben.

Vera führt uns in das muslimische Viertel Nizamuddin Basti, benannt nach einem moslemischen Scheich aus dem 13./14. Jahrhundert. Die Häuser stehen dicht an dicht, wir gehen durch enge Straßen. Ein wenig mittelalterlich, denke ich. Basti, das ist eine vornehme Umschreibung für einen Slum, meint Vera. Aber verslumt finde ich die Gegend nicht, nur alt und ärmlich. Ich sehe gelegentlich Frauen mit Kopftüchern oder vollbärtige Männer in langen Gewändern mit hellen Käppis. Sie sehen nicht aus wie Sikhs, die überhaupt kein Messer an ihr Haar lassen, scheinen also strenggläubige Muslime zu sein.

Der Tischler Hakimullah begrüßt uns sehr freundlich. Natürlich kann man hier nicht einfach schnöde einen Tisch abholen und bezahlen. Wir nehmen vor dem Haus auf einer Holzbank Platz. Zunächst – gleichsam zur Eröffnung der Verkaufszeremonie – bringt Herr Hakimullah Tee und Zuckerwerk, das wirklich sehr süß ist. So wie in allen Ländern, die Kontakt zum islamischen Kulturkreis haben. Vorab müssen wir seine Neugier befriedigen. Woher wir kommen, wann wir Delhi erreicht haben, wie der Flug war. Danach serviert uns der wackere Handwerker etwas Herzhaftes: warmes Gemüse von der Größe einer Artischocke, aber so dunkel wie eine geschmorte Aubergine. Was das wohl ist? Vera weiß Bescheid: „Das sind geschmorte Knospen der Semal-Blüte. Ihr habt sicher schon die großen roten Blüten an den kahlen Bäumen gesehen."

Neugierig beiße ich in das Gemüse. Tatsächlich, es schmeckt. Das ist Indien, denke ich. Erst zwei Stunden hier und schon sind wir eingetaucht in den Alltag von Delhi.

Ich schaue mich um: An das Wohnhaus schmiegt sich Herrn Hakimullahs Werkstatt. Sie sieht wie ein Verschlag aus und ist notdürftig überdacht. Für indische Verhältnisse lebt er mit sei-

21

ner Familie in bescheidenem Wohlstand. Trotzdem, erzählt Vera, wohnen sie hier mit neun Personen in zwei Zimmern. Er könnte sich eine bessere Wohnung leisten. Aber von seinen Einkünften muss wohl die ganze Großfamilie leben. Dazu gehört auch die „Maid", die für Sauberkeit sorgt.

Herr Hakimullah fertigt Möbel für Ausländer, hören wir von Vera. Seine Qualitätsarbeit wird gelobt. Durch Mundpropaganda erhält er immer wieder neue Aufträge. Fast wirkt es so, als verstünde Herr Hakimullah, was Vera sagt. Er lächelt und nickt. Schließlich bringt er den fertigen Tisch. Der sieht edel aus: dunkelbraun gebeizt, vermute ich. Vera untersucht die rechten Winkel und die Standfestigkeit. Mit dem Finger fährt sie prüfend über die Ecken und Kanten – alles splitterfrei. Sie ist zufrieden und bezahlt. Inzwischen haben sich Nachbarn eingefunden und auf einer Bank niedergelassen. Sie interessieren sich für uns, die Fremden. Touristen scheinen sich selten hierher zu verirren. Ich möchte mich für die Bewirtung erkenntlich zeigen und zücke den Geldbeutel, doch Vera schüttelt den Kopf: „Nimm es als Beweis ihrer Gastfreundschaft. Mit einem Trinkgeld würdest du ihn vor den Kopf stoßen."

Unser Riksha-Fahrer hat die ganze Zeit gewartet. „Das wird teuer", sage ich zu Xenia. „Das Taxameter lief über eine Stunde."

Vera hat meine Bemerkung gehört und lacht: „Keine Sorge. Ich habe einen Festpreis für Hin- und Rückfahrt vereinbart. Die Wartezeit gehört dazu."

Später wollen Vera und Mark uns zum Essen ausführen, in ein typisch indisches Lokal. Unterwegs erregt eine Baustelle meine Aufmerksamkeit. Der zweistöckige, unfertige Neubau ist eingerüstet. Mit Bambusstäben, die sehr zerbrechlich aussehen. Und die scheinbar von Bast zusammengehalten werden. Ob sie auseinanderfallen, wenn ein Arbeiter eine Sandschüssel auf den Gerüstbrettern hochträgt? Aber es sind ja keine Arbeiter, keine Männer, die hier als Bauhilfsarbeiter schuften – es sind zierliche Frauen. Sie balancieren große flache Schüsseln mit Sand auf dem Kopf und tragen sie nach oben.

Weiter geht es kreuz und quer durch eine größere und viele schmale Seitenstraßen, vorbei am M-Market hin zum N-Market. Markt – darunter hatte ich mir einen Platz mit vielen Ständen und geschäftigem Treiben vorgestellt. Aber diese beiden Märkte sind am Abend ruhige, begrünte Karrees mit zahlreichen Geschäften in den anliegenden zweigeschossigen Häusern. Wir betreten ein geräumiges Restaurant, in dem einige indische Familien speisen. Vera und Mark beraten uns bei der Auswahl der Gerichte, ich kann mit den Begriffen der Speisekarte nicht viel anfangen. Aber ich weiß immerhin, dass ich die Kichererbsenpaste meiden muss, weil ich sie nicht vertrage. Zum leckeren Hammelfleisch serviert man verschiedene Saucen. Für die vielen vegetarischen Gerichte habe ich noch genügend Zeit.

„Die Currysauce schmeckt aber scharf", entfährt es mir, während ich mir heftig das Feuer aus dem Mund in die vorgehaltene Hand hauche.

Vera weiß auch zu diesem Thema etwas Interessantes zu erzählen: „Currysauce schmeckt überall ein wenig anders, genau wie das Curry. In Deutschland denkt man, das gelb gefärbte Curry sei ein Gewürz wie Pfeffer oder Paprika. Das ist falsch – Currypulver ist eine Gewürzmischung. Pfeffer, Koriander und Cumin gehören auf jeden Fall dazu. Aber auch Knoblauch, Chili, Fenchel, Zimt, Nelken oder Ingwer können hineingerieben werden. Hier stellt jede Hausfrau ihr eigenes Currypulver zusammen. Die Farbe stammt übrigens vom Kurkuma-Gewürz."

Ich bestelle schnell ein Bier zum scharfen Essen. Der Kellner bringt eines der Marke „Kingfisher". „Eisvogel" – merkwürdiger Name für ein Bier. Die Marke „Kingfisher" wird mir später noch einmal begegnen.

„Du hast Glück, dass du heute Bier kriegst", meint Vera.

Ich blicke sie fragend an.

„Hier gibt es zu allen möglichen Gelegenheiten Alkoholverbote, also Tage, an denen auch kein Bier ausgeschenkt werden darf. ‚Dry days' nennt man sie."

Dieses Mal weiß Vera nicht genau, ob solche ‚trockenen Tage'
aus der Prohibitionszeit nach der Unabhängigkeit stammen
oder aktuell von hindunationalistischen Politikern durchgesetzt
wurden. In der Öffentlichkeit ist Alkohol strikt tabu. Offenbar
wird gern getrunken, allerdings nur hinter verschlossenen
Türen. „Die Inder", sinniert Vera ein wenig, „greifen gern mal
zum dubiosen Selbstgebranntem. Dabei wissen sie nie, was
sie erwartet. Der hochprozentige Stoff kann sogar zu Erblin-
dungen oder Vergiftungen führen."
Ich bin froh, dass heute offenbar kein trockener Tag ist und ich
meinen von Chili brennenden Mund mit Markenbier behan-
deln kann.

Hindus, Moslems, Christen

Eine aufstrebende Mittelschicht von ca. 250 Millionen Menschen pro-
fitiert vom Aufschwung des Schwellenlandes Indien. Der Großteil der
Landbevölkerung hat nichts davon. Horrende Zinsen für Kredite trei-
ben Bauern in den Selbstmord. Auf der Basis solcher Gegensätze wu-
chern auch ethnische und religiöse Konflikte, besonders der Gegen-
satz zwischen Hindus und Moslems.
Seit dem 13. Jahrhundert fielen immer wieder muslimische Heere aus
Zentralasien in den Norden Indiens ein. Erst im 14. Jahrhundert setz-
ten sich die islamischen Eroberer fest und begründeten die Mogul-
Herrschaft. Unter den Mogul-Kaisern prägte der Islam die gesamte
Kultur des Landes – zumindest im Norden und in der Mitte. Intole-
rante Herrscher zerstörten viele Hindu-Heiligtümer. Als Indien 1947
unabhängig wurde, gab es sich eine laizistische Verfassung, die Staat
und Religion strikt trennte. Und die Moslems erhielten einen eigenen
Staat: Pakistan. So sollte der religiöse Konflikt entschärft werden.
Islamistische Terroranschläge und die Diskriminierung der
muslimischen Minderheit tragen heute zur Verschärfung der religiö-
sen Spannungen bei.
Wenig bekannt ist, dass es bereits vor Ankunft der portugiesischen
Kolonialherren Christen in Indien gab. Sie bezeichnen sich selbst als

Thomaschristen, weil der Apostel Thomas schon im ersten nachchrist- lichen Jahrhundert in Indien missioniert haben soll. Immerhin wur- de ein Kreuz mit einer mittelpersischen Inschrift aus dem achten Jahr- hundert gefunden. Thomaschristen gelten als arriviert, die lateini- schen, von den Portugiesen missionierten Christen – besonders in Kerala – hingegen als arm und förderungsberechtigt.

Meditative Klänge im Stadtpark

Vera und Mark wollen uns etwas Besonderes bieten: ein Konzert mit Ravi Shankar und seiner Tochter Anoushka. Wie wir hören, gibt es in der 15-Millionen-Metropole verhältnismäßig wenige Kulturereignisse. Nicht viele Menschen können sich so etwas leisten. Ravi Shankar wird außerdem bald 90 – wer weiß, ob ich ihn noch einmal live erleben kann.

Der Nehru-Park scheint für Open-Air-Veranstaltungen bestens geeignet: ein wenig vom Straßenverkehr abgeschirmt, eine freie Fläche mit etlichen Bäumen am Rand. Mehrere Großmonitore sind aufgestellt. Noch ist es hell, noch kann man auf den Monitoren nichts erkennen. Das Publikum setzt sich aus der studierenden Jugend der Stadt und europäischen akademischen Gastarbeitern zusammen. Man kennt sich, hält einander Plätze frei. Eine kleine deutsche Gemeinde breitet Decken aus und lässt sich auf dem Rasen nieder. Uns, den würdigen Älteren, besorgt man Stühle. Wie aufmerksam!

Es ist typisch indische Musik, die der Altmeister und seine Tochter dann auf der Sitar vortragen – mit dem leicht singenden und etwas nachhallenden Klang. Ich gebe mich ergriffen dem ungewohnten Klang und Rhythmus hin.

„Gefällt's euch?", fragt Mark in der Pause.

„Ja, sehr", antworte ich pflichtschuldig und ehrlich.

„Mir nicht."

Ich sehe Mark überrascht an.

„Die indische Musik langweilt mich. Sie kennt keine Entwicklung, nicht einmal eine Partitur. Da wird nichts festgehalten. Die Künstler spielen einfach so vor sich hin. Und wie soll ein Instrument schon klingen, das aus einem Kürbis gebaut wurde."

„Aber", erwidere ich, „Ravi Shankar ist auf den Festivals von Monterey und Woodstock aufgetreten und hat mit Yehudi Menuhin zusammen gespielt. Selbst die Beatles sind bei ihm in die Lehre gegangen."

Meine Glanzlichter aus Ravi Shankars Laufbahn beeindrucken Mark nicht: „Und? Schämen sich die Beatles heute dafür?" Ich werde ihn nicht bekehren können. Vielleicht braucht man ein wenig Sehnsucht nach östlicher Spiritualität, mindestens aber die Bereitschaft zur Meditation, um sich in diese Musik einzufühlen.

Gib Acht im Alltag!

„Wenn man Ende Februar aus dem winterlichen Berlin ins subtropische Indien fliegt, muss man mindestens die ersten Tage eine Kopfbedeckung tragen. Sonst folgt bei praller Sonne dem leichten Sonnenbrand eine Darminfektion."

Aus eigener leidvoller Erfahrung kann Mark uns diesen Ratschlag erteilen. „Hier ist alles anders", fährt er fort und leitet zu einem Crashkurs über: „Wie verhalte ich mich richtig im indischen Alltag?" Er lebt zwar auch erst ein Jahr in Delhi, aber er fühlt sich als Indien-Profi.

„Also erstens: Nie Leitungswasser trinken! Es gibt keine hundertprozentige Trennung von Abwasser und Trinkwasser. Selbst eure Impfungen gegen Cholera und Typhus bieten keine absolute Sicherheit. Auch zum Zähneputzen müsst ihr unbedingt das angelieferte Wasser aus dem Kanister zapfen."

Natürlich vergesse ich diesen Rat gleich im Trott der Abendtoilette und fülle – geistig mit den vielen neuen Eindrücken beschäftigt – mein Zahnputzglas mit Leitungswasser. Erst als ich einschlafen will, fällt mir siedendheiß mein Fehler ein. Schon bin ich um den Schlaf gebracht und spüre es in meinen Gedärmen rumoren.

Zum Glück schlafe ich irgendwann ein. Am anderen Morgen haben sich die ersten Symptome des Typhus verflüchtigt.

„Esst bloß nichts vom Imbiss am Straßenrand! Und unterwegs kein Obst, bevor ihr es zu Hause gründlich gewaschen habt." Das ist heute Morgen die zweite Grundregel zur Essenshygiene. Wir haben den Lodi Garten durchstreift, einen schönen Park mit historischen Moscheen und Grabmälern, sind dann die zentrale Prachtstraße Rajpath – den Champs Elysée nachempfunden – entlang promeniert und verspüren nun Hunger. Kein Restaurant nirgends. Auch das im Reiseführer versprochene Café finden wir nicht. Ich werde gnatzig, und Xenia bellt zurück. Alles klar: Wir müssen dringend etwas essen. Wie gut, dass da ein China-Imbiss aus einem Auto-Anhänger lockt. Der

Verkäufer wirft allerhand klein geschnittenes Gemüse und Sprossen in den Wok. Umgerechnet gut einen Euro kostet das Essen. Erst hinterher fällt uns ein, dass wir Marks Verbot missachtet haben. Aber auch dieses Mal übertreten wir ungestraft die Hygieneregel.

„Beim Wasserkauf immer darauf achten, dass der Verschluss der Plastikflaschen verschweißt ist. Die Ärmsten verdienen sich ein wenig Geld damit, dass sie weggeworfene Plastikflaschen aufsammeln und mit Leitungswasser auffüllen, das durchaus Kolibakterien enthalten kann. Und dann verkaufen sie das Wasser als fabrikfrisch und steril."

Merkwürdig, dass selbst während der Busreise später einzelne Verschlüsse nur locker aufgeschraubt sind. Nachlässigkeit oder Zusatzgeschäft des Busfahrers?

Xenia hat vorgesorgt. In ihrem Koffer lag gut gepolstert eine Flasche Grappa. Nun nimmt sie jeden Morgen einen kräftigen Schluck.

„Schnaps am frühen Morgen, das ist nicht gut", tadele ich sie.

„Ich muss mich immunisieren", sagt sie lächelnd. „Möchtest du auch einen Schluck?"

Ich wehre ab, Alkohol bekommt mir nicht in der hiesigen Hitze.

Auf unserem Ausflug nach Khajuraho stellt Xenia mit großem Bedauern fest, dass sie ihre Grappa-Flasche vergessen hat. Schon am zweiten Tag ist ihr nicht wohl. Das Unwohlsein steigert sich zum Brechdurchfall.

„Das ist die Strafe – weil ich dem Grappa untreu geworden bin", jammert sie.

Ganz ohne schlechtes Gewissen schlendere ich zur Bar und bestelle mir mit erwartungsvoll trockener Kehle ein Bier. Im Gegensatz zu Xenia, die leidend auf ihrem Bett zurückblieb, kann ich mir das erlauben. Eiskalt perlt das Bier im wunderbar beschlagenen Glas. Der Barkeeper fügt fürsorglich fünf Eiswürfel hinzu und reicht mir mein Bier. Ich setze an. Ah, schön gekühlt, köstlich!

Plötzlich halte ich erschrocken inne: das Eis! Sofort fische ich die Eiswürfel aus dem Bier. Aber sie sind schon fast getaut, längst haben sie ihre Typhus-Keime im Bier verteilt, die sich nun in meinem Körper ausbreiten.

Rupien, Sir! Rupien!

Marks Regel für den Umgang mit bettelnden Kindern heißt: nichts geben. Wenn sie erfolgreich betteln, werden sie von ihren mittellosen Eltern nicht in die Schule geschickt. Wenn sie einer Gang angehören, streicht der Bandenchef das Geld ein. Lieber etwas für ein soziales Projekt mit Straßenkindern spenden.

Wir halten mit unserer Taxe an einer Kreuzung. Ein kleines Mädchen und ein etwas älterer Junge klopfen an die Scheibe. Ich bin solche Auftritte noch nicht gewohnt und blicke hinaus. Sie sehen schmutzig aus, eingestaubt, ärmlich gekleidet, aber nicht zerlumpt. Und dann das Gesicht. Ich habe traurige, Mitleid heischende Augen erwartet. Stattdessen blicke ich in ein sehr selbstbewusstes Gesicht. Lächelt das Mädchen? Es fordert wie selbstverständlich seinen Anteil an meinem Reichtum. Fröhlichkeit und Selbstbewusstsein, darauf bin ich bei Straßenkindern nicht vorbereitet. Ich will schon die Scheibe runterkurbeln und ihnen ein paar Rupien geben – da fährt die Taxe weiter.

Später bei Spaziergängen in der Stadt schützt mich keine Scheibe mehr vor den Kindern. Wir überqueren den Nehru Place. Wieder stürzen sich ein paar Kinder bettelnd auf uns. Dieses Mal geben sie nicht auf. Ein Mädchen hängt sich einfach an meinen Arm und krallt sich fest. Ich kann die Kleine nicht abschütteln. Hilflos blicke ich um mich. Sie muss es spüren, dass ich nicht grob werden, sie nicht schlagen kann, um sie los zu werden. Da kommt mir eine indische Frau zu Hilfe. Sie schimpft mit dem Kind. Wahrscheinlich sagt sie ihm, es soll den Touristen in Ruhe lassen. Das Kind gehorcht und verschwindet.

Ein paar Tage später, in Khajuraho, verlassen wir das Hotel. Ein paar Rikschafahrer stürzen sich auf uns. Ich frage nach dem Preis.

„80 Rupien", verlangt ein Inder.

„Zu viel", sage ich zu Xenia. „Es sind es nur zwei Kilometer. Wir dürfen nicht mit Geld um uns schmeißen, sonst bringen wir das Preisgefüge durcheinander."

Xenia nickt und bietet dem Rikschafahrer 40 Rupien. „Wir werden uns bei 60 einigen", meint sie auf Deutsch zu mir. Na klar, inzwischen wissen wir, wie man feilscht.

„Einer von ihnen wird gleich 70 Rupien anbieten." Xenia wirkt sehr bestimmt.

Aber weit gefehlt. Keiner unternimmt den Versuch zu verhandeln, im Gegenteil, sie ziehen sich geschlossen zurück.

„Das ist ja verbotene Kartellbildung. Sind die etwa gewerkschaftlich organisiert?" Plötzlich scheint Xenia die unerwartete Solidarität der Fahrer zu stören. „Die sind wohl nicht auf unser Geld angewiesen, scheint mir. Dann gehen wir eben zu Fuß. Das wird uns gut tun", fügt sie hinzu.

Da stürzt ein weißhaariger, aber drahtiger Mann vor. Wie alt er ist, kann ich schlecht schätzen. „Yes, sir, forty rupees."

Es muss ihm besonders schlecht gehen, wenn er die Solidarität mit den anderen Fahrern aufkündigt und als einziger den niedrigen Preis ohne weitere Verhandlung akzeptiert.

Ich zögere, wir wollten doch zu Fuß gehen. Auch Xenia ist unschlüssig. Da wendet sich ein vielleicht vierzehnjähriger Junge auf einem Fahrrad an mich. Er sagt: „Geben Sie ihm eine Chance – er ist ein alter Mann."

Zum ersten Mal verstehe ich das Englisch eines Inders ohne Probleme. Auch das überrascht mich an dem Jungen. Ich blicke Xenia an, sie empfindet genauso wie ich und nickt. Also steigen wir auf die Fahrradriksha des alten Mannes. Der Junge fährt auf seinem Rad neben uns und fragt, woher wir kommen. Erstaunlich, er weiß sogar, dass Berlin die Hauptstadt Deutschlands ist.

„Ich kann nur vier Wörter Deutsch", sagt er bedauernd, „Auf Wiedersehen, Danke, Bitte und Wie geht's?"

Wir müssen lächeln. „Aber das ist gut", sage ich zu ihm. „Hast du es in der Schule gelernt?"

„Nein, nur von Touristen."

Vor uns verengt sich die Straße, hier stand vielleicht einmal ein Stadttor. Außerdem geht es leicht aufwärts. Unser Fahrer muss schwer in die Pedale treten.

„Bitte steigen Sie ab, der alte Mann hat es schwer, Sie bergan zu ziehen."

Wieder überrascht mich der Junge. Ist er der Schutzengel des alten Mannes? Und woher nimmt er den Mut, Touristen über angemessenes Verhalten gegenüber einem Rikschafahrer zu belehren? Aber er hat vollkommen Recht; es ist eine Geste des Respekts, dass wir absteigen. Jetzt freue ich mich über die Bitte des Jungen. Er erzählt noch über seine Schule. Am Schluss der kurzen Fahrt gibt er uns eine Visitenkarte: „Wolle aus Kaschmir". Also verdient er sich ein wenig Geld damit, dass er Touristen in das Kaschmir-Geschäft lotst.

Am schlimmsten geht es den Straßenkindern. Sie wachsen allein ohne Eltern auf und versuchen irgendwie in dem Moloch Großstadt zu überleben. Vera und Mark wollen uns ein Projekt zeigen, das sich um solche Straßenkinder kümmert, das Salaam Baalak.

„Hier könnt ihr euer Geld investieren, das ihr den bettelnden Kindern verweigern sollt", bereitet uns Vera vor.

An unserem Treffpunkt, dem Bahnhof Neu-Delhi lernen wir die anderen Teilnehmer der Führung kennen: Insgesamt sind wir vier Touristen, außerdem eine US-Amerikanerin, die das Projekt finanziell unterstützt, und drei Journalistinnen.

Als unser Führer stellt sich Brijesh Pandey vor, ein gut zwanzigjähriger junger Mann, sorgfältig im westlichen Stil gekleidet: Er trägt Bluejeans und T-Shirt. Früher schlug er sich selbst als Straßenkind durch und berichtet uns aus seinem Leben: „Als ich 11 Jahre alt war, trennten sich meine Eltern; ich zog zu meinem Onkel; der schlug mich. Da bin ich von Bihar, einem der ärmsten Gebiete Indiens, nach Delhi gefahren – erst mit dem Zug, dann mit dem Bus. Ich lebte wie viele der anderen

Straßenkinder vom Verkauf von Mineralwasser. Wenn ein Zug am Bahnhof anhielt, warteten wir, bis die Reisenden ausgestiegen waren. Dann schlichen wir uns in die Waggons. Wir sammelten die leeren Wasserflaschen ein. An einem Wasserhahn füllten wir sie mit Leitungswasser, schraubten die Flaschen fest zu und verkauften sie als Mineralwasser. Das war natürlich illegal, weil das Leitungswasser kein Trinkwasser ist. Dreimal wurde ich von der Polizei erwischt und ins Gefängnis gesteckt."

Heute hat Brijesh es halbwegs geschafft, aus dem Elend herauszukommen, auch ohne den märchenhaften Gewinn in der Show „Wer wird Millionär?" und ohne Mord wie in dem Roman „Der weiße Tiger". Er lernt Spanisch und möchte später in der Touristikbranche arbeiten.

Jetzt will er uns die Gegend zeigen, in der die Straßenkinder leben. „Bleiben Sie zusammen und halten Sie Ihre Rucksäcke fest", warnt er uns.

Um uns herum bewegt sich ein Strom von Menschen; die lärmenden Rikschafahrer fahren dicht an dicht. Wir gehen über den Bahnsteig, wo kleine Jungen sich waschen und dabei lachend mit Wasser spritzen. Sie kennen Brijesh und freuen sich, ihn zu sehen. Erst hinter dem Bahnhof wird es auf einmal überraschend ruhig. Direkt neben den Gleisen stehen Hütten, in denen Familien mit Kindern leben. Männer sehen wir nicht. Eine einfache Baracke ist für die Schulkinder eingerichtet, die hier Hilfe bei den Hausaufgaben erhalten. Überall wird Brijesh stürmisch von den Kindern begrüßt. Keines der Kinder bettelt uns an, wie wir es sonst gewohnt sind. Sie scheinen zu wissen, dass wir für die Führung bezahlen und dass es ihnen zugute kommt.

Vom Bahnhofsvorplatz aus erreichen wir über eine Treppe zwei kleine Räume. Brijesh berichtet, welcher Teil der Projektarbeit hier stattfindet: „In diesen Räumen werden Straßenkinder medizinisch versorgt und über Drogen und AIDS aufgeklärt."

In einem der beiden Räume sehen wir Jungen einfache Bilder malen.

Danach drängen wir uns wieder durch Menschentrauben und lärmenden Verkehr in den engen Gassen der Altstadt. Brijesh erklärt ein drittes Arbeitsgebiet des Projekts: „Wir haben drei Häuser für Jungen und ein Haus für Mädchen angemietet. Die Kinder erhalten Essen, ein Bett und werden unterrichtet. Allerdings nur für ein Jahr. Dann müssen sie auf eigenen Füßen stehen. Die Hilfe soll möglichst viele erreichen. Das Projekt Saalambaalaktrust wurde 1989 gegründet. Heute arbeiten hier über hundert Vollzeitkräfte und betreuen pro Jahr fast 5.000 Kinder."

Es ist ein einfaches Haus der Altstadt, in das nur wenig Tageslicht dringt. Wir sehen in einen Klassenraum. Dort drängen sich vierzig Jungen im Alter von sieben bis zehn Jahren auf dem Boden. Sie sitzen ganz still im Lotussitz und blicken auf eine Tafel.

„Meditieren die?", fragt Xenia leise.

Ich zucke mit den Schultern. Auf mich wirkt die Atmosphäre fremd, ja geradezu beklemmend. Vielleicht weil ich Schulkinder nur wuselnd und lebhaft kenne. Erstaunlich, wie sich diese Kinder konzentrieren. Gehört Yoga hier zum Unterricht?

Die Journalisten fotografieren viel. Vera fragt ihre italienische Kollegin: „Und – werden Sie hierüber einen Text in Ihrer Zeitung unterbringen?"

Die Kollegin winkt ab: „Das Thema Straßenkinder lockt bei uns keinen Hund mehr hinter dem Ofen hervor."

„Wie bei uns – keine Zeitung nimmt mir dazu einen Artikel ab", stimmt Vera zu.

Wir danken Brijesh, zahlen unseren Preis und legen noch etliche Rupien freiwillig drauf.

Einige Tage später sind wir zum „Tag der offenen Tür" in der deutschen Schule – ein großer Kontrast. Sie ist in der ehemaligen DDR-Botschaft im Diplomatenviertel untergebracht.

In vielen Räumen haben die Klassen kleine Ausstellungen organisiert: Ein Kunstkurs zeigt Bilder, im nächsten Raum stellen die Kinder dar, was sie sich zum Thema Regenwald erarbeitet haben. Ich unterhalte mich mit zwei Schülern. Der eine besucht jetzt die amerikanische Schule. „Und? Gefällt es dir dort besser?", will ich von ihm wissen.

„Na ja. Sie ist viel größer. Ich glaube, es gibt 2.000 Schüler, die deutsche hat nur 200. Bei der amerikanischen muss man schon Geld bezahlen, wenn man auf die Warteliste will. Für mich ist das kein Problem: Zahlt alles die Firma von meinem Papa. – Die haben tolle Angebote, Baseball zum Beispiel. Und eine schöne Schwimmhalle. Von der deutschen Schule dürfen sie nur als Gäste bei den Amis schwimmen gehen."

Der andere Junge verzieht das Gesicht ein wenig: „Mir hat es in Deutschland besser gefallen. Hier ist alles so dreckig. Aber da, wo wir wohnen, ist es zum Glück sauberer. Wir fahren ja auch immer mit dem Schulbus – das geht."

Ich stecke den beiden Jungen ein paar Münzen in ihre Sammelbüchse. Für das Regenwald-Projekt der Klasse.

Draußen läuft ein Non-Stop-Programm. Eine Schülerband ist komplett mit Instrumenten ausgestattet: Keyboard, zwei E-Gitarren, Saxophon, Klarinette, Schlagzeug; sie treten gekonnt mit Sängerin auf. Eine andere Gruppe führt Kampfsportübungen vor.

Eine europäische Frau neben mir kennt sich an der Schule offensichtlich gut aus. „Gibt es auch indische Kinder an der deutschen Schule?", frage ich sie.

„Vielleicht ein paar, aber die meisten sind Kinder aus binationalen Ehen, oder ihr Vater arbeitet als Ingenieur für ein paar Jahre in Indien. Oft fühlen sich die Ehefrauen hier nicht ausgelastet, schließlich hat man für den Haushalt eine Maid. Also kümmern sie sich engagiert um die Schule. Das sollte die Lehrerinnen erfreuen, tut es aber nur, wenn die Mütter nicht meinen, sie wüssten alles besser. Sonst nerven sie mehr als die Kinder."

Ein paar Inderinnen bieten einen Imbiss feil, die Einnahmen sammeln sie für ein soziales Projekt. Beim Essen komme ich mit einer älteren Dame aus Deutschland ins Gespräch.

„Ich reise jedes Jahr für zwei Monate hierher, um meine Enkel zu sehen", erzählt sie.

Ich staune: „Macht Ihnen das Klima nicht zu schaffen? Und wie halten sie die Stadt aus?"

„Kein Problem. Delhi finde ich wunderbar. Natürlich komme ich nicht in der größten Hitze. Mein Sohn besitzt ein Farm House draußen vor der Stadt. Da können sich die Kinder austoben. In die Stadt kann ich jederzeit: Ein Chauffeur steht für mich bereit. Und Indien sehe ich mir mit zwei Augen an: Ein Auge ist für die Armut – das schließe ich einfach."

Na dann, denke ich, so lässt sich Delhi sicher genießen.

Buntstorch, Rotbauch-Bulbul, Kingfischer & Co.

Ich gebe es gern zu: Ich mag Vögel. Ich finde sie interessant, ich beobachte sie gerne. Und es ist mir ziemlich egal, ob es anderen genauso geht.

Xenia will einkaufen. Mal wieder. Ich erspare mir das, setze mich einfach in einen kleinen Park, nur zwei Straßen entfernt, und genieße die Ruhe. Eine grüne Oase inmitten der lauten und quirligen Stadt. Überrascht stelle ich fest, dass mir fast alle Blumen vertraut sind: Petunien, Bartnelke, Stiefmütterchen, Löwenmäulchen, Tagetes, Ringelblume, Mädchenauge. Nur werden die Inder sie hier wohl anders nennen.

Neben mir huscht ein Streifenhörnchen vorbei, hält kurz inne, beäugt mich und trollt sich mit einem gurrenden „hu-war, hu-war" davon.

Ein älterer Mann vertieft sich mitten auf dem Rasen in Yoga-Übungen. Am Rand spielen zwei größere Mädchen Federball. Drei kleine Jungen nutzen das Pflaster rund um einen großen Maulbeerbaum und laufen unentwegt Rollschuh. Ein paar Kinder verteilen sich auf der Grünfläche und schlagen konzentriert und begeistert mit einem schmalen Brett nach einem Tennisball. Offensichtlich läuft alles nach strikten Regeln ab. Ob sie sich keinen Baseball-Schläger leisten können?

Über mir höre ich grüne Vögel kreischen. Ihr Schwanz ist dünn wie ein Pfeil und so lang wie der einer Elster, auf jeden Fall erheblich länger als der Rest des Körpers. Einige tragen ein Halsband. Ob sie als Haustiere gehalten und manchmal wie ein Hund ausgeführt werden? Doch es sind Halsbandsittiche, deren Männchen sich mit einem Halsband schmücken: schwarz an der Kehle, rosa im Nacken; auch an ihrem heftigen und schnellen Flügelschlag lassen sie sich leicht erkennen. Mehrmals beobachte ich sie auch später, wie sie in Schwärmen fliegen, besonders kurz vor der Dämmerung. Ich bin begeistert: Zum ersten Mal sehe ich frei lebende Edelpapageien! Was Indien doch zu bieten hat! Nach der Reise werde ich erfahren, dass sich in Köln eine Kolonie Halsbandsittiche angesiedelt hat. Was haben meine indischen Halsbandsittiche in Köln zu suchen?

Auf einem Baum in meiner Nähe lassen sich zwei Vögel nieder. Schwarz, mit gelbem Schnabel: natürlich, ein Star. Aber er sieht hier etwas anders aus als in Deutschland. Ihm fehlen die Punkte, stattdessen hebt sich eine grellgelbe Linse deutlich vom schwarzen Kopf ab, die Linse zieht sich vom Schnabelgrund über das Auge nach hinten. Das gibt dem Vogel ein abenteuerliches Aussehen. Dabei verhält er sich genau so lustig und aufgeregt, mal hierhin mal dorthin pickend, wie bei uns. Indischer Myna wird er genannt. Mir gefällt es, wenn ein Myna seinen Kopf etwas schräg stellt, als würde er konzentriert kucken oder nachdenken.

Er scheint sich perfekt an das Leben in der Stadt angepasst zu haben, überall sehe ich ihn. „Frech wie Oskar", sagt Xenia später einmal über den Myna. Eine UNO-Kommission zählt ihn zu den drei Vogelarten, die sich weltweit am stärksten verbreiten und gelegentlich zu einer Bedrohung für das einheimische Ökosystem werden. Ein echter Kosmopolit also.

Oft sehe ich auch einen Milan am Himmel, im Unterschied zu unserem roten ist es der schwarze, Kite wird er hier genannt. Beim Fliegen kippt er den Schwanz mal nach rechts, mal nach links zur Seite.

Der kleine Park scheint den ganzen Tag gewässert zu werden. Ein Arbeiter legt immer mal wieder die Schläuche um. Wo sich kleine Pfützen bilden, finden sich schnell kleine, komplett weiße Reiher ein. – Zu Hause zeigt uns Vera Red vented Bulbuls, die sie mit Rosinen auf dem Fensterbrett anlockt. Mit seinem Irokesenschnitt wirken die Bulbuls wie Punker. Sie sehen wirklich putzig aus: relativ klein und rundlich, mit einem roten Fleck hinten am Po. Daher rührt wohl der Name: red vented = mit rotem Luftloch – oder heißt es doch nur einfach Rotbauch-Bulbul?

Richtig aufregend finde ich die Führung durch den Keoladeo Ghana National Park bei Bharatpur. Er gehört zum UNESCO-Weltnaturerbe und gilt als eines der zehn schönsten Vogelschutzgebiete weltweit. Auch wenn die Vegetation eher karg als paradiesisch ist, fühle ich mich wie im Paradies. Die Vögel kennen keine Scheu. Nach ein paar Schwarzstörchen entdecke ich Purpurreiher und einen Buntstorch, den es in unseren Breiten überhaupt nicht gibt, nur im tropischen Asien. Die Buntstörche sind zwar Zugvögel, aber nur innerhalb Indiens.

„Sieh mal", ich zeige Xenia den Buntstorch, „der dicke, runde, Schnabel, gelb und vorn leicht gebogen. Die Schnäbel unserer Störche sind viel schlanker."

„Ja", sagt Xenia, „wenn die dunklen Augenpunkte nicht wären, könnte man den Kopf für eine kleine Verdickung am Ende des Schnabels halten."

Ein weißbrüstiges Wasserhuhn ähnlich unserem Blässhuhn schwimmt im sumpfigen Wasser ruhig vorbei. Aus dem Schilf beäugt uns ein blaues, metallisch glänzendes Moorhuhn – eine betörende Farbe!

Kaum habe ich ein wenig Luft geholt, weist uns der Führer auf einzelne Kingfisher hin, so nennt man hier die bunten kleinen Eisvögel. Noch ein Eisvogel, denke ich, aber nein, er bleibt ja in der Luft stehen – das muss wirklich ein Kolibri sein!

Bei einer Rast streut mir der Führer ein paar Körner auf den Kopf. Was soll das denn? Schon setzt sich ein Vogel auf meinen Kopf und pickt vorsichtig die Körner auf. Jungle Babbler, erläutert der Führer seine Aktion. Xenia lacht. Der nächste Vogel setzt sich auf die Schulter, er scheint abzuwarten, ob auf meinem Kopf für ihn noch etwas übrig bleibt. Andere Vogelfreunde zücken wie Xenia den Fotoapparat und halten mich und meine gefiederten Freunde fest. Ob ich in ihrer Fotogalerie als touristischer Vogelständer erscheinen werde? Oder als unwirksame Vogelscheuche?

Nach der Pause gehen wir weiter. Plötzlich bleibe ich wie angewurzelt stehen. In zwanzig Metern Entfernung sehe ich

Gänse in seichtem Wasser. Kann das wahr sein? Streifengänse? Auf ihrem weißen Kopf heben sich zwei schwarze Streifen deutlich ab, die vom linken Auge über den Hinterkopf zum rechten Auge führen. Nicht immer ist ein Vogel so eindeutig zu identifizieren.

Die Streifengänse sind die am höchsten fliegenden Vögel, sogar über 9.000 Meter Höhe, über dem Mount Everest, hat man sie beobachtet. So hoch können sie nur fliegen, weil sie im Unterschied zu anderen Vögeln über eine anatomische Eigenart verfügen: Dank eines besonderen Eiweißstoffes im Hämoglobin nehmen sie besonders schnell Sauerstoff auf, auch bei sehr niedrigem Luftdruck. Und nun beobachte ich direkt vor mir dieses Wunder der Natur. Xenia ruft mich, unsere Gruppe ist bereits verschwunden. Schweren Herzens verabschiede ich mich von den Streifengänsen.

In Jaipur überrascht uns ein Gewitter. Es stürmt und regnet. Welch eine Seltenheit außerhalb des Monsuns! Ich atme tief die frische Luft ein. Aus dem Hotelfenster im achten Stock blicke ich über die Stadt. Die Zweige der Bäume werden von Böen hin und her geworfen. Da bemerke ich einen Schwarm Krähen, die auf Höhe meines Fensters gegen den Wind fliegen. Warum das? Es muss sie viel Kraft und Energie kosten. Sie werfen sich der anstürmenden Böe wie einer Welle entgegen, lassen sich hoch tragen, dann fallen, um erneut gegen die Windwelle anzufliegen. Natürlich, jetzt verstehe ich: Es macht ihnen Spaß. Nach Wochen lähmender Hitze genießen sie den erfrischenden Wind und das kühle Nass des Regens. So ähnlich verhalten sich wohl Mensch und Tier, wenn der alljährliche Monsun auf das ausgedörrte Land trifft.

Lotusblüten aus Beton

„Wer sind eigentlich die Bahai?", frage ich Xenia in der Rikscha. Wir sind auf dem Weg zum Lotustempel, einem Bahai-Tempel. Der Lotustempel ist eine der Sehenswürdigkeiten Delhis. Xenia hat vorhin den Reiseführer zu Rate gezogen; wie schön, dass ich nicht selbst lesen muss.

„Na ja", Xenia zögert, „irgendwie eine Religion, die aus dem Islam hervorgegangen ist und von einem Iraner begründet wurde. Der Lotustempel stammt übrigens auch von einem iranischen Architekten und ist der bekannteste Bahai-Tempel."

Jetzt schlägt Xenia noch einmal den Reiseführer auf und liest vor: „Von den mindestens 5 Millionen Bahai weltweit sollen allein 2,2 Millionen in Indien leben. Die Bahai vertreten einen Monotheismus, verhalten sich aber offen gegenüber anderen Religionen, suchen moralische Vervollkommnung und soziale Verantwortung und betonen Toleranz und friedliches Miteinander unter den Menschen. Sie kennen keine Priester, sind mehr demokratisch organisiert und stark auf Andacht ausgerichtet. – Finde ich nicht einmal unsympathisch. Man müsste mehr darüber wissen."

„Vielleicht erfahren wir es ja hier", sage ich. Der Bau beeindruckt mich: „Das sieht wirklich wie eine Lotusblüte aus. Oder genauer: wie eine sich langsam öffnende Knospe. Schon imposant, wie man aus Betonteilen Blütenblätter bilden kann. Sieht die Oper in Sydney nicht so ähnlich aus?"

„Nein", Xenia korrigiert mich prompt, „bei der Sydney-Oper weisen die Schalen alle in eine Richtung, beziehungsweise sie sind entlang einer Achse ausgerichtet."

„Aber es sind ebenfalls Blütenblätter aus Beton", beharre ich, schließlich will ich auch einmal Recht haben.

„Die Schalen sehen nicht wie Blütenblätter aus, sondern wie aufrecht stehende oder gekippte Vorderteile von Schiffen."

Immer muss sie das letzte Wort behalten. Ich finde, der Geist der Bahai hat sie nicht ergriffen. Vielleicht haben wir zu kurz Andacht gehalten.

Draußen bittet mich ein junges Paar, es vor dem Lotustempel zu fotografieren. Die junge Frau halte ich für eine Japanerin, aber er sieht weder europäisch noch japanisch aus. Bereitwillig antworten sie auf meine Frage, wo sie zu Hause seien: „Wir kommen aus Kasachstan. Indien ist nicht so weit für uns."

Gern möchten sie mit uns fotografiert werden. So muss ein Inder aushelfen, um das kasachische und das Berliner Paar gemeinsam aufs Bild zu bannen. Merkwürdig, ich finde leichter Kontakt zu ihnen als zu den meisten Indern. Bei denen bin ich misstrauisch, ich weiß nicht, ob sie eher an allem interessiert sind, was neu und anders ist, oder ob sie hartnäckig auf der Suche nach einer neuen Einnahmequelle sind.

Auf der Rücktour vom Lotustempel überqueren wir den Nehru Place, der mit seinen Hochhäusern schon von weitem erkennbar ist und uns so als Orientierungspunkt dient. Es herrscht reges Treiben, allerdings verirrt sich kaum ein Tourist hierher.

Vor einem Hochhaus haben sich auf einem Parkhausdeck etliche Angestellte aus den umliegenden Geschäften und Büros versammelt. Sie verzehren eine kleine Mahlzeit aus dem Imbissladen. Das Essen erscheint uns vertrauenswürdig, wir stellen uns ebenfalls an. Unser Mahl müssen wir auf der Freifläche im Stehen einnehmen. Der Bau scheint seit der Eröffnung – schätzungsweise in den Siebziger Jahren – nicht mehr renoviert worden zu sein. Stahlteile rosten vor sich hin, der Beton macht einen maroden Eindruck; ich fürchte, dass mir hier leicht etwas auf den Kopf fallen kann.

Erstaunlicherweise sind auf dem Platz viele Frauen unterwegs – nicht im sonst üblichen Sari, sondern in Bürokleidung, Bluse und Jeans.

Zwischen den Hochhäusern fegen leichte Böen, überall zieht es. Die Freifläche bietet auch fliegenden Textilhändlern Platz. Ich bleibe bei Herrenhemden stehen. Eins fällt mir auf: Es hat ein dezentes Muster mit feinen roten und blauen Streifen. Ich fische es heraus und halte es prüfend hoch.

„Zu klein", sagt ein aufmerksamer Verkäufer und reicht mir ein größeres Exemplar.

„Wie viel?", frage ich.

„150 Rupien", antwortet der Verkäufer.

Ich zögere nicht lange. Bei zwei Euro Fünfzig für ein ansprechendes Oberhemd kann man nicht viel falsch machen.

Xenia betrachtet inzwischen die Auslagen eines Geschäftes mit Silberschmuck. Er ist billig, aber sie zögert: „Heute haben wir mit deinem Hemd genug Geld ausgegeben", meint sie.

Ihre Bescheidenheit rührt und erschüttert mich. Bei passender Gelegenheit werde ich ihr ein silbernes Geschmeide umhängen.

Trotzdem bin ich des Feilschens überdrüssig. Als wir am anderen Tag ein Geschäft der Fabindia-Kette betreten, freue ich mich über die Festpreise. Handgewebte Saris, Hemden, Bettdecken – immer weiß man sofort, was man am Ende auch bezahlen wird. Einkaufen kann so leicht sein.

Delhi / Neu-Delhi

„Delhi und Neu-Delhi – sind das nun zwei verschiedene Städte? Ich komme damit nicht klar", frage ich Vera.

Sie lacht mitleidig. Dann antwortet sie ernsthaft: „Eigentlich ist es ganz einfach. Zunächst existierte die Stadt Delhi. 1911 wurde sie Hauptstadt und erhielt für den Regierungssitz einen neuen Stadtteil – eben Neu-Delhi, mit Parlamentsgebäude und Sitz des britischen Vizekönigs, heute des Präsidenten. Eine breite Prachtstraße, der Rajpath, führt von diesem ‚Regierungshügel' zum India Gate. Das ist ein monumentales Denkmal für indische Soldaten. Sie fielen im Ersten Weltkrieg für Großbritannien."

„Ja, morgen wollen wir zum India Gate. Aber ist Neu-Delhi nun eine eigenständige Stadt?", hake ich nach.

„Nein. Neu-Delhi bildet nur einen Stadtteil von Delhi, allerdings einen besonderen: mit Parks, breiten Alleen und prächtigen Bauten im Kolonialstil. Dort wohnen lediglich 234.000 Menschen von offiziell

fast 12 Millionen in ganz Delhi. Hauptstadt ist Delhi und nicht der Stadtteil Neu-Delhi. Um die Sache noch komplizierter zu machen, gibt es zusätzlich ein Bundesterritorium Delhi, sozusagen das erweiterte Stadtgebiet."

Auch Xenia will eine Frage loswerden: „Und warum stand auf unserem Flugticket als Zielort Neu-Delhi? Der Flughafen liegt doch gar nicht in Neu-Delhi."

„Ja, das ist verwirrend", gibt Vera zu. „Vielleicht lässt es sich am besten mit der früheren Bezeichnung ‚Pankow' verdeutlichen; da nannte man lediglich einen Stadtbezirk und meinte die ganze DDR."

Zur endgültigen Klarheit fehlt mir nur noch eine Antwort: „Wohnen wir hier im Süden in Neu-Delhi oder in Delhi?"

„Noch in Neu-Delhi."

Nun bin ich zufrieden.

Billig, schnell und wendig

Rikschafahrer – typisch asiatisch, oder? Der Herr lässt sich kutschieren, der Knecht muss sich abstrampeln. Solche Fahrrad-Rikschas gibt es zwar immer noch in Delhi, aber im Vergleich zur Motor-Rikscha sind es wenige.

Die bunten Motor-Rikschas fallen mir sofort auf; sie sind in Delhi unten grün gestrichen und oben gelb. Wenn sich ein Pulk von fünf oder sieben oder gar neun Fahrzeugen bildet, muss ich unwillkürlich hinsehen.

Es sind dreirädrige, halboffene Kabinen. Vorne, hinter dem Lenker und dem einen Vorderrad sitzt der Fahrer, hinten, zwischen den beiden Hinterrädern, die Fahrgäste. Eigentlich ist die Sitzbank für zwei Mitfahrer vorgesehen, schließlich beträgt die Breite der ganzen Kabine nur 1,10 Meter! Von diesen 1,10 Metern gehen auf jeder Seite zehn Zentimeter ab für das Kotflügelchen samt Schutzbügel aus Blech. Auch die kleinen Scheinwerfer sind mit diesen Schutzbügeln bewehrt – meistens jedenfalls.

Um Fahrgeld zu sparen, quetschen sich manchmal drei oder sogar vier Passagiere auf die kurze Bank. Zwischen dem hinteren Teil der Plane und dem Rückenteil der Sitzbank vermute ich zunächst einen kleinen Stauraum für Gepäck. Tatsächlich ist es ein Stauraum zur Personenbeförderung. Mehrfach sehe ich Rikschas mit hinten hoch gerollter Plane und einigen Menschen, die in diesem Stauraum sitzen, die Beine über die Stoßstange baumeln lassen und interessiert auf den rückwärtigen Verkehr blicken. Einmal befördert eine Rikscha fünfzehn Menschen, Erwachsene wohlgemerkt! Ich halte es nicht für möglich und zähle ein zweites Mal und dann ein drittes Mal. Es bleibt bei fünfzehn!

Ich sehe mir die Rikscha genauer an. Lenker und Vorderrad lassen die Herkunft von einem Motorroller deutlich erkennen. Es war ein italienisches Nachkriegsmodell, das die Inder zu ihrer Rikscha umfunktionierten. 70.000 soll es allein in Neu-

Delhi davon geben. Sie sind auf den Straßen allgegenwärtig und stellen das Rückgrat des Nahverkehrs dar, eben weil sie stets verfügbar, flexibel und billig sind. Natürlich sind die öffentlichen Busse noch billiger, aber sie fahren entlang der festgelegten Linien, man muss auf sie warten und man muss sich in ihnen quetschen und die Ausdünstungen vieler schwitzender Menschen ertragen. Eine normale Taxe auf Basis eines Pkws können sich die meisten Menschen nicht leisten.

Jede Rikscha zeigt den Preis der Fahrt auf einem laufenden Taxameter an.

„Verlass dich bloß nich darauf", warnt mich Mark. „Sie können defekt oder manipuliert sein. Besser ist es, den Preis vorher auszuhandeln."

Bei unserem ersten selbständigen Ausflug in Neu-Delhi probieren Xenia und ich es aus. Wir werden ungefähr eine halbe Stunde nach Hause benötigen.

„Wie teuer?", frage ich den Fahrer, nachdem ich ihm unser Ziel genannt habe.

„Achtzig", antwortet der gleichmütig. Das sind ungefähr 1,30 Euro. Spottbillig, denke ich. Aber es gibt ein Preisgefüge, habe ich gelernt, und das sollte man nicht durcheinander bringen.

„Nein. Vierzig. Ich kenne den Preis." Er soll bloß nicht glauben, einen ahnungslosen Touristen vor sich zu haben, den er übers Ohr hauen kann. Er schüttelt den Kopf.

„Komm, wir gehen zum nächsten", sage ich zu Xenia. Entschiedenes Auftreten ist alles beim Handeln. Vielleicht versucht er, uns mit einem neuen Angebot zurückzuholen. Nein, er kommt nicht. Dafür klinkt sich ein anderer Fahrer von der Seite ein und fragt nach unserem Ziel, um ins Gespräch zu kommen. „Siebzig", bietet er als Preis an. Schon besser.

Xenia kann weniger: „Fünfzig", hält sie dagegen.

„Okay, sechzig", gibt er nach.

Man muss das Feilschen nicht übertreiben, auch wenn wir vielleicht noch fünf Rupien herausgehandelt hätten. Wir stimmen zu und steigen ein.

„Ich habe zehn Rupien herausgehandelt", freut sich Xenia. Kein Wunder, sie hatte ja auch in Berlin geübt.

Kurz vor dem Ziel fragt unser Fahrer mehrfach nach, wie er zu unserer verdammten Enklave finden soll. Einerseits verstehe ich seinen Unmut, die vielen Stadtteile Delhis gleichen ungeordneten Konglomeraten: Wer weiß schon, wo man die Straße D findet, wenn sie zwischen den Straßen P und F liegt? Es gibt keine logische Anordnung. Andererseits erwarte ich von einem Rikscha-Fahrer, dass er sich in seiner Stadt auskennt und mich sicher an jedes Ziel bringt. Aber er benötigt keinen Personenbeförderungsschein, keine Fahrschule, keine Prüfung. Und wenn er nicht mehr weiterweiß, fährt er neben eine andere Rikscha und fragt während der Fahrt den Kollegen, wo er den Stadtteil Greater Kailash I finden könnte.

Als unser Fahrer endlich am Ziel angelangt ist, zeigt sich Mitleid auf Xenias Gesichtszügen: „Gib ihm siebzig", sagt sie zu mir. „Denk dran: Er verdient netto nur 150 Rupien am Tag – zwei Euro fünfzig. Und davon muss vielleicht die ganze Familie leben."

Ich zähle ab und reiche ihm die Scheine.

„Achtzig", verlangt er ungerührt und behält die bereits entrichteten siebzig Rupien fordernd auf der offenen Handfläche. Ich setze ein empörtes Gesicht auf und will auf dem ausgehandelten Preis bestehen. Er grinst mich an: „Bakschisch." Da muss ich lächeln und gebe mich geschlagen.

Ampel, Hupe, Bürgersteig

Schon die Fahrt vom Flughafen in die Innenstadt hatte mich schockiert. In Deutschland bewegen sich auf den zwei Spuren einer Straße zwei Reihen von Fahrzeugen. Nicht so in Delhi. Drei Fahrzeuge drängeln sich aneinander vorbei; es können sogar vier sein, je nach Breite der Fahrzeuge. Einem Fahrrad scheinen nur dreißig Zentimeter Straße zuzustehen, einer Motorriksha schon gut ein Meter – sie ist ja 1,10 Meter breit! Aber selbst von normalen Personenautos verteilen sich häufig genug drei auf die beiden Spuren der Straße.

Und von Reihen kann ohnehin keine Rede sein. Alles ist ständig im Fluss. Es handelt sich im wahrsten Sinne des Wortes um einen Verkehrsfluss. Oder täuscht das Bild vom Verkehrsfluss? Denn vom gleichmäßigen Fließen kann keine Rede sein. Wer eine Lücke erspäht, huscht dort hinein. Oder trifft das Bild vom Bach zu? In dem das Wasser mal hierhin, mal dorthin plätschert, sich seinen Weg zwischen lauter Hindernissen sucht? Ampeln würden diesen Hindernislauf nur stören. Wo sie trotzdem stehen, werden sie mit Nichtachtung gestraft; jeder Inder scheint zu glauben, die spontane Verkehrsregulierung klappe viel besser als die automatische. Im noblen Viertel südlich des India Gate bilden breite Straßen große, unübersichtliche Kreuzungen mit Verkehrsinseln. Nur hier halten sich die Autofahrer überraschenderweise an das Rot der Ampel.

Schon springt ein Kind im schulpflichtigen Alter mit einem Stapel Bücher und DVDs auf dem Arm an unsere Riksha und preist einen Bestseller an: Der weiße Tiger. Ob der Junge weiß, was in dem Buch steht? Es verrät den einzigen Weg für einen armen indischen Jungen, reich zu werden: seinen Kumpel erpressen, seinen Herrn umbringen. In den Augen dieses armen indischen Jungen verfüge ich über viel Geld. Versteckt er ein Messer unter seinem Hemd?

Die Ampel springt auf Grün, und ich bin von den aufdringlichen Kindern erlöst.

An der nächsten Ampel rauscht unser Fahrer trotz Rot durch. Ich suche nach einem grünen Pfeil, der ihm das gestattet. Allmählich merke ich, dass alle Ampeln einen grünen Pfeil aufweisen müssen, der unabhängig von der Ampelfarbe die Fahrt freigibt! Und das keineswegs nur nach rechts, wie ich es gewöhnt bin, sondern auch nach links und geradeaus. Ein Drei-Richtungs-Pfeil! Nichtinder leiden an einer Augenkrankheit: Sie sind blind gegenüber diesem virtuellen grünen Pfeil.

Als wir an einer Hauptverkehrsstraße entlang gehen, lese ich auf einer Werbetafel des Verkehrsministeriums: „Gehorchen Sie den Verkehrsregeln!" Genauso gut könnte das Ministerium dazu auffordern, von März bis Mai – also im Kern der Trockenzeit – einen Regenschirm bei sich zu tragen.

Als ob der Verkehr und das Verhalten der Inder im Verkehr für mich nicht schon schlimm genug wäre, kommt der Linksverkehr dazu. Alle fahren auf der falschen Seite! Schrecklich, dieser Linksverkehr!

Dieses Relikt der britischen Kolonialherren stört die Inder wohl am wenigsten von allen. Aber mich. Wenn ich routinemäßig zuerst nach links blicke, ist das falsch; denn die Fahrzeuge brausen von rechts heran. Ständig muss ich auf der Hut sein und überlegen, woher die unmittelbare Gefahr droht: von rechts oder links, von vorn oder hinten?

Xenia entdeckt sicheres Terrain: „Hier ist ein Fußgängerüberweg. Ich habe ein Recht darauf, langsam über die Straße zu gehen."

Sie stolziert geruhsam über den Zebrastreifen. Ich fürchte um ihr Leben und zerre sie schnell hinüber. Links und rechts rasen Fahrräder, Rikschas und Autos an uns vorbei. Als ich meinen Fuß auf die ausnahmsweise vorhandene Bürgersteigkante setzen will, zischt ein Motorroller zwischen Fuß und Kante hindurch. Unwillkürlich zucke ich zurück und werde beinahe vom Lenker einer Rikscha umgerissen.

In Berlin hätte ich getobt und geschrien, dass man so leichtsinnig mit meiner Gesundheit und mit meinen Nerven umgeht. Hier nimmt mich keiner zur Kenntnis. Sind die Inder abgestumpft? Gilt ihnen das einzelne Leben nichts? Was ist schon *ein* Leben von 1,2 Milliarden!

Wenigstens kann ich Xenia rechtzeitig aufs rettende Ufer schieben. – Hier und da blockieren Baustellen die seltenen Bürgersteige, oder Schneider, Schuster und Nussverkäufer haben ihre Stände dort aufgeschlagen. Gelegentlich spannt sich eine blaue Plastikplane von der Hauswand oder dem Zaun bis zur Bordsteinkante, darunter hausen Wanderarbeiter mit ihren Familien. Als es schummrig wird, erkenne ich eine Petroleumlampe unter der Plane. Einmal sehe ich einen Bildschirm flackern. „Wo haben die den Strom her?", frage ich Mark verdutzt.

Er lacht. „Sie haben einfach oben das öffentliche Stromkabel angezapft", erklärt er mir.

Auf den Bussen des öffentlichen Nahverkehrs und auf den Motorrikschas prangen drei Buchstaben: CNG. „Was hat das zu bedeuten? Ist es eine Verkehrsgesellschaft? Aber die Rikschas sind doch privat?" Ich bin froh, alle meine dummen Fragen über die fremde Stadt bei Mark und Vera abladen zu können.

„Compressed Natural Gas", erklärt mir Mark. „Vor einigen Jahren führte die Stadtverwaltung Erdgas bei Bussen, Taxen und Motorrikschas ein. Es war unerträglich geworden mit dem Smog. Inzwischen meinen manche Leute, dass es schon wieder so schlimm ist wie vor CNG. Du siehst ja selbst: Sogar junge, sonst unbekümmerte Leute fahren mit Mundschutz auf ihrem Roller."

Meistens müssen wir als Fußgänger am Straßenrand gehen und werden von hupenden Fahrzeugen überholt. Jedes Mal zucke ich zusammen, wenn es dicht hinter mir hupt. Reflexartig will ich mich umdrehen, um der Gefahr ins Auge zu blicken. Das Zucken wird notorisch und verdichtet sich zu einem rhythmischen Gezappel, solange ich auf der Straße unterwegs bin. Aber die Angst und das Zucken helfen mir nicht, im Großstadt-dschungel zu überleben. Und fliehen gilt nicht. Ich werde mir die Angst abgewöhnen müssen.

Ist das Hupen ernst gemeint? Wer seine Richtung ein wenig ändert oder sein Fahrzeug geringfügig beschleunigt, der hupt. Sogar der Motorradfahrer, der mir entgegenkommt, hupt. Nur so, ich soll ihn einfach beachten.

Gehupt wird auch, wenn man nicht überholt werden möchte oder geradeaus fährt. Kurz: Es gibt immer einen Grund zu hupen. Hupen ist die indische Form der Kommunikation im Straßenverkehr.

Gelegentlich hängt ein Verkehrsschild mit einer durchgestri-chenen Hupe am Straßenrand. Noch ein lächerlicher und ver-geblicher Versuch des Verkehrsministers, die Menschen Delhis vor Taubheit zu bewahren.

So vielfältig die Gründe für das Hupen sind, so vielfältig sind auch die Hupgeräusche: vom kurzen gleichmütigen Antippen über den nervösen Fünferhup zum herrischen Dauerton einer LKW-Fanfare – es liegt ein dauerhaftes kakophones Hupkon-zert über Delhi.

Sage mir niemand, die Tabla sei ein typisch indisches Instru-ment. Die Tabla ist längst von der Hupe entthront. Ein Instru-ment, das 1,2 Milliarden Menschen beherrscht und das sie alle beherrschen.

Wenn ein Satellit im Weltall die Geräusche der Erde aufneh-men würde; aus Indien würde es dröhnen. Heute drängelt sich ein Sechstel der Erdbevölkerung auf dem kleinen Subkonti-nent. Dieses indische Sechstel produziert fünf Sechstel des Menschenlärms.

Kamasutra auf dem Index?

„Und denkt dran: Auf der Straße nicht Händchen halten oder gar küssen. Militante Hindus haben am Valentinstag Paare gejagt; die hatten nur ihre Zuneigung öffentlich gezeigt. Man ist hier wirklich prüde." Gut, dass Vera uns warnt, wie leicht hätten auch wir uns Prügel eingefangen.

„Prüde? Ich dachte, im Land des Kamasutra geht es freizügig zu", wundert sich Xenia.

„Kamasutra – das ist eine andere Zeit, ein anderes Indien. Woran das genau liegt, weiß ich auch nicht. Sowohl die Muslime als auch die Hindus scheinen jetzt ausgesprochen lustfeindlich zu sein."

Mir fällt ein, dass ich bisher kaum freizügige Werbung in Delhi gesehen habe. Auf dem erotischsten Plakat warb die Firma Reebok: Eine junge, vollbusige Frau trug bei ihrer Gymnastik eng anliegende Sportkleidung. Diese verhüllte allerdings den größten Teil des Körpers. Der Sportpulli reichte ihr bis zum Hals. Delhi scheint eine sexfreie Zone zu sein, prüde in jeder Hinsicht: no sex, no drugs, no rock 'n' roll. Merkwürdig: Ich soll die indischen Frauen nicht ansehen, sonst wird das als Heiratsantrag betrachtet. Aber sie kleiden sich in wunderschöne bunte Gewänder – wie kann man da nicht hinschauen?

Ich erinnere mich an Männer, die Händchen haltend durch die Straßen gehen. Also frage ich nach: „Und Homos dürfen Händchen halten? Die Inder scheinen gegenüber sexuellen Minderheiten tolerant zu sein."

Das finde ich nicht schlecht, ich bin nur neidisch. Wieso genießen die Homos hier mehr Rechte als ein normaler Hetero?

Vera lacht: „Wie kommst du denn darauf? Homosexualität ist ein strenges Tabu! Sie wurde von der britischen Kolonialmacht sogar gesetzlich unter Strafe gestellt – mit dem berüchtigten Paragrafen 377. Allerdings liberalisiert sich das Klima etwas in jüngster Zeit. – Nein, wenn Männer auf der Straße Händchen haltend spazieren gehen, dann sind es einfach gute Freunde.

Das hat nichts mit Erotik zu tun. Es ist hier üblich wie in Deutschland bei jungen Mädchen."

Ich will immer noch nicht von alten Gewohnheiten lassen und suche einen Ausweg: „Aber Ehepaare, die dürfen sich doch küssen, oder?" Dabei vergesse ich, dass Xenia und ich uns gar kein amtlich besiegeltes Ja gegeben haben.

„Meinst du, die lassen sich erst den Trauschein zeigen? Nein, verheiratet oder unverheiratet – das ist egal. Wenn ihr eure Köpfe vor Knüppeln schützen wollt, dann hebt euch den Kuss für zu Hause auf."

Als wir draußen zu unserem Ausflug in die Stadt starten, stößt Xenia mich an: „Los, fass mich an! Frauen soll nicht erlaubt sein, was Männer dürfen? Das wollen wir doch mal sehen."

Gehorsam nehme ich ihre Hand, auch wenn mir nicht wohl dabei ist. Vorsichtshalber rücke ich dicht an sie heran; muss ja nicht gleich jeder sehen, dass wir Händchen halten.

Wie kaufe ich eine Fahrkarte?

Mark ist wütend: „Jetzt lebe ich ein Jahr in Indien – aber meint ihr, ich habe inzwischen einen Anrufbeantworter bekommen? Wie oft habe ich mich schon bei der Telefongesellschaft beschwert, wie oft wollten sie ihn schon am anderen Tag liefern! Ich bin Vertriebsingenieur, ich muss erreichbar sein; das interessiert die Leute einfach nicht."

Ich kann Marks – gelinde gesagt – Unmut verstehen, sein Verdienst hängt direkt von seiner Erreichbarkeit ab.

Mark fährt fort: „Und das geht auf anderen Gebieten so weiter: Du möchtest gern drei Steckdosen fürs Wohnzimmer und suchst dir schöne weiße mit abgerundeten Ecken aus. Was packt der Verkäufer ein? Zwei von den gewünschten, das geht in Ordnung, aber die dritte ist braun und stark eckig. Zu Hause merkst du es, bringst alles zurück und beschwerst dich. Die Antwort: ‚Wir hatten nur zwei.' Der Verkäufer kommt gar nicht auf die Idee, dich vorher zu fragen, ob er dir die eckige, braune einpacken darf."

Mark macht nur eine kurze Pause. Er ist in Fahrt und sprudelt gleich wieder los: „Bei den Lüftern verhielt es sich ähnlich. Nur war dieses Mal der zweite defekt. Was soll's! Erst einmal wird er verkauft. Der Kunde kann ihn ja zur Reparatur zurückbringen. So ist es mit allem: Lieber zwei defekte Geräte produzieren statt ein funktionierendes, lieber Masse statt Klasse! Überraschenderweise wurde der zwei Meter hohe Kühlschrank ohne erkennbaren Schaden angeliefert – das ist ein Wunder, denn er wurde auf einer Fahrradrikscha durch den dichtesten Verkehr balanciert. Die kleine Mikrowelle hingegen kam mit einer Delle an. Auf meine Beschwerde hin entgegnete man im Geschäft allen Ernstes: ‚Sorry, der Hersteller hat das Gerät getrennt von der Verpackung geliefert. Bitte beschweren Sie sich beim Hersteller.' Wenn man ein Gerät kauft, stellt man sich ein neues Gerät vor. Davon kann man hier nicht ausgehen. Wie kam die neue Stehlampe an? Angeschmuddelt und mit

Beule – die angeklebten Kanten des Schirms lösten sich bereits ab."

Mark muss erst einmal Luft holen, so sehr hat er sich in Rage geredet. Aber schon geht es weiter: „Und dann hatte ich endlich meine beiden Lüfter. Sie hingen schon an der Decke. Ein Handwerker sollte sie anschließen. Zur Probe schaltete ich den vorderen Lüfter ein. Sehr gut, lobte ich den Mann, ich bezahlte ihn, und er verabschiedete sich. Als ich den zweiten Lüfter einschaltete, rührte sich nichts. Und warum? Der Lüfter war in Ordnung, aber der angebliche Fachmann hatte ihn einfach nicht mit angeschlossen."

Ich frage nach: „Woran liegt das? Mangelndes Interesse? Mit guter Arbeit kann man sich doch einen guten Ruf erwerben. Und ordentlich Trinkgeld kassieren."

„Nein", entgegnet Mark, „es liegt an der fehlenden fachlichen Kompetenz. Das ist auch kein Wunder. Niemand verfügt über eine Berufsausbildung. Alle behaupten: Ich kann das. In Wirklichkeit haben sie sich irgendwo ein bisschen abgekuckt. Sie entschuldigen sich immer mit dem Argument, Indien sei ein armes Land ohne Ressourcen. Aber was hat es mit fehlenden Ressourcen zu tun, Schrauben ohne Dübel in die Wand zu treiben? Nach zwei Wochen fällt das Gerät herunter und muss erneut befestigt werden. Indien ist einfach eine Service-Wüste."

„Du magst ja recht haben", schaltet sich Xenia ein, „aber ich bewundere die einfachen indischen Handwerker und ihr Improvisationstalent. Der Riemen meiner Sandale war abgerissen. Ich zeigte die Sandale dem Schuster, der drüben auf dem Bürgersteig sein Handwerk betreibt und deutete an, dass er sie reparieren möchte. Vorhin holte ich sie ab. Er hatte sauber ein neues Stück Leder eingenäht. Es sieht richtig tiptop aus."

Mark nickt: „Ja sicher, im Improvisieren sind sie gut."

Trotzdem gibt er sich nicht geschlagen: „Aber die Bürokratie! Neulich wollte ich mit der Bahn nach Bombay fahren. Ich stellte mich hinten an die Schlange des Fahrkartenschalters an und wartete geduldig, bis ich dran war. ‚Sie müssen erst einen Antrag auf eine Fahrkarte ausfüllen‘, wurde mir beschieden. ‚Gut‘, antwortete ich, ‚dann geben Sie mir bitte einen Antrag.‘ Ungerührt antwortete der Schalterbeamte – und um einen Beamten handelte es sich zweifellos: ‚Für einen Antrag müssen Sie sich bei der Schlange vor dem Antragsformularschalter anstellen.‘ Ich schnappte nach Luft. Als ich die dritte Schlange überstanden hatte, überreichte ich ihm den ausgefüllten Antrag. ‚Morgen früh um 10 Uhr gibt es keine Plätze erster Klasse mehr im Zug nach Bombay‘, verkündete er mir dieses Mal ungerührt. ‚Und zweiter Klasse? Ist da noch etwas frei?‘, versuchte ich ihm eine Auskunft zu entlocken. ‚Das kann ich Ihnen erst sagen, wenn Sie einen neuen Antrag für die zweite Klasse ausgefüllt haben.‘ Ich hätte schreien können! Um es kurz zu machen: Auch der neue Antrag auf eine Fahrkarte zweiter Klasse wurde ablehnend beschieden. Ich versuchte es noch einmal mit dem nächsten Tag …“

Mark winkt müde ab. „Ich habe es aufgegeben, mit der indischen Eisenbahn zu fahren und nehme jetzt immer das Flugzeug.“

Am Nachmittag spazieren wir über den Rajpath, den „Königsweg“ – eher ein kilometerlanges Exerzierfeld als ein Weg. An einem Laternenmast fällt mir ein handgeschriebener Zettel auf. Neugierig geworden lese ich: „Light not working“. Ich blicke nach oben. Klammern halten den Stiel der Lampenfassung notdürftig am Betonmast fest. Dazwischen ragen zwei dünne Kabel heraus, die an einen baumelnden Starter angelötet sind. Die ursprüngliche Leitung innerhalb des Mastes über den Stiel zur Lampe war wohl defekt, man wird versucht haben, sie provisorisch zu überbrücken. Schade, es hat nicht geklappt. Na, wenigstens sollen die Vorübergehenden Bescheid wissen, dass sie im Dunkeln tappen. Vielleicht haben sie ja eine Taschenlampe dabei, um den Zettel zu lesen.

Mr. Kingfisher

Xenia und ich verzichten also auf eine Bahnfahrt und nehmen für die Reise zu den althinduistischen Tempeln in Khajuraho den Flieger. Das Emblem unserer Fluggesellschaft ist ein prächtiger Eisvogel, wieder der Kingfisher. Am Schalter gesellt sich ein Angestellter zu uns und führt uns in die Lounge: „Möchten Sie eine Erfrischung?"

„Nimm einen Kaffee oder einen Tee, das ist hier bestimmt teuer", flüstert mir Xenia zu. Als ich nachher bezahlen will, winkt der Kellner ab, das sei ein Service der Fluggesellschaft. Ich fühle mich geehrt. Im Flugzeug werden wir zur Business Class geleitet. Wow – ist das eine Beinfreiheit! Man kann den Sessel fast bis zur Liegeposition zurückklappen. Die Stewardess reicht uns eine Speisekarte: „Bitte wählen Sie unter den drei Menüs aus."

Und das Essen mundet! Keine Papptoastscheibe mit Scheiblette. Zu unserer Verblüffung reicht uns die Stewardess sogar ein Gläschen Sekt – und das in Indien, wo Alkohol offiziell verpönt ist. Als die Monitore eingeschaltet werden, begrüßt mich dort ein fülliges Gesicht mit graumeliertem Vollbart, langem Haar und sonorer Stimme – völlig untypisch für einen Inder. Es ist der Eigentümer der Kingfisher Airline, der Milliardär Vijay Mallya. Ihm gehört auch das akzeptable und in Indien verbreitete Kingfisher-Bier. Mr. Mallya bezeichnet sich als Gewächs eines deutschen Unternehmens. Airbus schließt mit ihm Milliardenverträge ab. Er begrüßt uns auf dem Monitor: „Seien Sie mein Gast, fühlen Sie sich wohl wie in meinem Wohnzimmer."

Herzlichen Dank Mr. Kingfisher! Erst seit rund 15 Jahren dürfen auch Privatunternehmer mit den staatlichen indischen Betrieben konkurrieren. Mit seinem exzellenten Service hofiert Mr. Mallya seit 2005 seine Flugkunden und jagt sie der bürokratischen, lahmen, unpünktlichen und unfreundlichen staatlichen Fluggesellschaft ab. Kein Wunder, dass die Kingfisher Airlines zu den sechs weltbesten Fluggesellschaften zählen.

So komme ich in den Genuss von Liberalisierung und Privatisierung, die seit 1991 die offizielle indische Politik bestimmen. In Mr. Kingfishers Flugzeug denke ich nicht an die Kehrseite dieser Politik: an die verarmten Bäuerinnen und Bauern. Man spricht regelrecht von einem Selbstmordgürtel aus fünf Bundesstaaten. Dort bringen sich überdurchschnittlich viele verschuldete Menschen um. Sie sehen keinen anderen Ausweg.

Interessante Stellung am Tempel

Ich bin mir ganz sicher, dass es Xenia war, die auf die Idee gekommen war, Khajuraho zu besuchen: „Oh, erotische Darstellungen an alten hinduistischen Tempeln! Das könnte doch interessant sein."

Mein Widerstand gegen diese Extratour schmolz dahin, als Xenia mir ein paar Fotos zeigte. Oh lala, sehr freizügig!

„Sind das Illustrationen zum Kamasutra, der altindischen Liebesschule?", fragte ich nach.

„Nein", Xenia wusste schon genau Bescheid: „Das Kamasutra wurde bereits 800 Jahre früher geschrieben, also ungefähr um 200 n. Chr. Aber ob es da eine Verbindung gibt, weiß ich nicht."

Egal, dachte ich, die Spur sollten wir einmal verfolgen. Ich ahnte allerdings noch nicht, dass mich diese Suche einiges kosten würde. Terminlich passte Khajuraho nämlich nicht in unsere einwöchige Rajasthan-Rundfahrt. Wir mussten privat einen Drei-Tage-Ausflug nach Khajuraho buchen.

Nur wenige Passagiere flogen von Varanasi nach Khajuraho weiter. Als wir landeten, dachte ich an einen Dorffußballplatz. Aber unser Airbus kam zum Stehen, bevor er über das Spielfeld hinausschoss.

Jetzt staunen wir über die Tempelanlagen vor uns. Mehrere Tempel verteilen sich in einem Park. Überall sind bunt gekleidete Frauen mit der Pflege der Blumen und dem Gießen beschäftigt. Ein schöner, grüner Park.

Die meisten Türme der Tempel haben eine merkwürdige, aber für Hindu-Tempel typische Form, die einer Lotusknospe ähneln soll: als hätte man vier Weidenruten quadratisch in den Boden gesteckt und oben zusammengebunden. Bevor die Ruten sich berühren, werden sie von einer Scheibe gedeckt. Über Stufen betreten wir die Plattform, die an beiden Ecken von kleinen Türmen begrenzt wird.

Der ganze Tempel scheint aus zwei Teilen zu bestehen: Der untere nahezu hälftige Teil erscheint wie ein unregelmäßiger

Bau, zu dem wieder eine Treppe führt. Kleine Säulen tragen den oberen Teil. Von der Seite kann ich zwischen den Säulen hindurch sehen. Aber einzelne Gebäudeteile weisen von unten bis oben geschlossene Außenwände auf. Die Säulen tragen jeweils eine Steinplatte, auf der sich der Turm erhebt. Der erste Turm über der Eingangshalle ist noch klein und sieht fast wie eine Halbkugel aus. Der nächste, über dem Gebetsraum, überragt ihn.

Erst der Turm über dem Allerheiligsten erreicht seine typische längliche, nach oben zusammengebogene Form. Im Gegensatz zu der Vertikalen der Türme betonen aus dem Sandstein herausgearbeitete umlaufende Leisten die Horizontale: Der Tempel erscheint wie geschichtet. Ein interessantes Spiel von Bogen und Gerade, von Horizontale und Vertikale. Und überall besteht die Wand aus Reliefs, Skulpturen und aus dem Stein gemeißelten Ornamenten – nirgends eine glatte Wandfläche.

Wir sollen gemäß der religiösen Praxis den Tempel im Uhrzeigersinn umrunden und die Wand mit der rechten Schulter berühren. Oberhalb meines Kopfes entdecke ich einen schmalen Fries, der den ganzen Tempel umgibt. Dicht aneinandergereiht ziehen Krieger vorbei, gelegentlich von Pferden, Kamelen, ja Elefanten begleitet. Die Tiere müssen allesamt in dem Fries untergebracht werden und sind daher so klein wie die Menschen. Der Soldat auf dem Elefanten wirkt wie ein kleines Kind, das mit seinem Kopf an die Friesbegrenzung stößt. Tänzer und Musiker mit ihren Instrumenten lösen die Soldaten ab.

Über dem Fries, schon in luftiger Höhe und in mehreren Etagen, entdecke ich endlich die Skulpturen, vor allem weibliche. Ich halte sie für nackt, aber Bänder schließen die unsichtbaren, wohl aus hauchdünner, durchsichtiger Seide gefertigten Kleider nach unten hin ab, Kordeln hängen von der Taille herunter und bedecken notdürftig die Scham. Ihre prallen Brüste sind nun wirklich nackt. Typischerweise nehmen sie eine S-Haltung ein und schieben übertrieben eine Hüfte heraus. Alle strahlen eine große Fröhlichkeit aus. Es muss ihnen einfach gut gehen. Am besten geht es denen, die im Geschlechtsakt versunken sind, Mann und Frau stehen auf einem Bein, umklammern sich mit dem anderen und umarmen sich inniglich. Ein anderer Mann und eine andere Frau beobachten vergnügt die Szene und masturbieren abgewandt.

„Das sollen mantrische Übungen sein, die an die Urzeugung der Welt durch die Göttin und den Gott erinnern", belehrt mich Xenia, der ich wohl zu sehr in der Betrachtung der Skulpturen versunken scheine.

„Glaubst du das? Die Gesichter sprechen nicht gerade von religiöser Versenkung, denen macht es einfach Spaß. – Wir könnten es ja auch einmal auf einem Bein probieren", schlage ich angeregt vor.

„Willst du dir was brechen?", entgegnet sie gleichmütig. Es scheint fast, als würden die Stellungen an der Tempelwand sie nicht interessieren. „Turnt dich das nicht an?", frage ich. Und tatsächlich schielt sie aus den Augenwinkeln auf die gymnastischen Darbietungen. Ob sie sich die Haltung des rechten und des linken Beins merken will?

Leicht irritierend finde ich die Gruppenszenen: Ein König wird beim Akt von seiner Geliebten manipulierend unterstützt. Sie wiederum wird von zwei Seiten ganz eng an den König geschoben und greift selbst wie nebenbei einer Dienerin lächelnd zwischen die Beine. Ein paar Schritte weiter animiert ein kopulierendes Paar einen zweiten Mann, der geradewegs mit erigierten Penis einer nackten Dame zustrebt.

Das nächste Bild hat nun mit Esoterik garantiert nichts mehr zu tun: Ein Mann macht sich über das Hinterteil eines Pferdes her. Vergewaltigung von Tieren stand damals also kaum unter Strafe. Da hält sich selbst auf dem Relief ein Begleiter schamhaft die Hand vor die Augen. Unter den Chandella-Herrschern muss es ja wie in Sodom und Gomorrha zugegangen sein. Und dann noch am Tempel!

Allerdings ist die Tempelwand kein Kamasutra, kein Lehrbuch der Liebesstellungen. Direkte Liebesakte stellen eine Minderheit unter den Skulpturen dar.

„Ich finde, die fröhliche, sinnliche Darstellung aller Figuren hat den Besuch gelohnt", fasse ich mein Urteil zusammen. Da stimmt mir diesmal sogar Xenia zu.

Am Abend gehen wir noch ein wenig im Garten des Hotels spazieren. Dabei stoßen wir auf eine Puppenbühne. Zwei junge Männer sind um unser Glück bemüht, wir müssten unbedingt das schöne Spiel sehen. „Free of charge" natürlich – umsonst und draußen. Tatsächlich, die Puppenspieler geben sich große Mühe und verstehen ihr Handwerk. Sie lassen sogar ein Pferd Purzelbäume schlagen, ohne dass sich die Strippen verheddern. Wir klatschen überzeugt und kräftig Beifall; das müssen wir auch, denn wir sind die einzigen Zuschauer. Nun aber wollen die Spieler Geld sehen.

„Wie? Es sollte doch free of charge sein?", frage ich irritiert.

„Hat es Ihnen nicht gefallen? Sie haben doch geklatscht!" Ich halte es für dreist, aber die Spieler benennen ganz genau, wie hoch unser nachträgliches Eintrittsgeld sein soll: 500 Rupien müsste es uns schon wert sein, wenn wir eine halbe Stunde lang von Künstlern unterhalten wurden. Sie hätten eine lange Ausbildung absolviert, und die Anfertigung der Puppen sei sehr zeitaufwändig.

„500 Rupien? Das sind ja mehr als acht Euro. Soviel zahle ich in Deutschland für eine Kulturveranstaltung. Und bei der anderthalbstündigen Aufführung mit acht Tänzerinnen hat es nur 250 Rupien gekostet", wendet Xenia empört ein.

Sie sind zäh im Verhandeln, nein, sie verhandeln gar nicht, sie bestehen auf Zahlung und wollen von free of charge nie etwas gehört haben.

Langsam fürchte ich, die Nacht nicht in dem so nahen Hotelbett verbringen zu können, sie lassen keine Bereitschaft erkennen, uns gehen zu lassen.

„Wir haben gar kein Geld dabei, es sollte ja umsonst sein", versuche ich mich aus der Affäre zu ziehen. „Sie werden ein wenig Geld bekommen, aber wir müssen es erst aus dem Hotel holen. Wir kehren bestimmt zurück."

Erstaunlicherweise lassen sie sich darauf ein. Während wir zum Hotel gehen, handle ich mit Xenia unsere Spende aus. Schließlich will ich mich nicht vor den Indern mit ihr streiten: „250 Rupien sind wohl okay."

„Auf keinen Fall. Denk nur an die Tanzvorstellung mit den acht Tänzerinnen. 200 Rupien sind das Äußerste." Xenia gibt sich entschlossen, sobald wir uns aus der Hörweite der Puppenspieler entfernt haben.

Als Xenia ihnen dann 200 Rupien in die Hand drückt und ich mich auf eine weitere Feilscherei gefasst mache, bedanken sie sich herzlich und strahlen über das ganze Gesicht.

Das Gesicht im Himmel über mir

Direkt vor einer Felswand setzt uns der Rikschafahrer ab. Wir blicken ehrfürchtig in die Höhe. Oben verlängern massive Festungsmauern den Fels und lassen die Anlage von Tuqlaqabad uneinnehmbar erscheinen. Ein Ruinenkomplex aus dem 14. Jahrhundert. Wir lösen an einer spartanischen Bude unsere Eintrittskarten und erklimmen auf einem befahrbaren Weg mit mäßigem Anstieg die Höhe. Eine prächtige Ruinenlandschaft breitet sich vor uns aus. Man kann die Grundrisse der Häuser erkennen, hier und da stehen einzelne Wände, sogar ein Torbogen erhebt sich vor uns. Ein Trampelpfad zieht sich durch die ehemaligen Gassen, aber wir können auch in den Keller eines Hauses hinabsteigen, dessen Decke teilweise erhalten ist.

„Ich führe Sie gern", spricht uns plötzlich ein Inder an, der wie ein Gespenst aus einer dunklen Seitennische auftaucht.

Sein unergründlicher Gesichtsausdruck flößt mir Angst ein. Wenn er uns hier in die Nische zerrt und betäubt, erfährt kein Mensch, wo wir geblieben sind. Nur vereinzelte Besucher bewegten sich oben unter dem freien Himmel.

„Nein, danke", antworte ich hastig und ziehe Xenia schnell weiter.

Als wir wieder in der Tageshelle stehen, fühle ich mich, als wären wir dem Hades entronnen.

„Hast du seine gierigen Augen gesehen?", frage ich Xenia.

„Er sah ganz normal aus. Viele Inder versuchen, ein paar Kröten an den Touristen zu verdienen", widerspricht sie mir.

„Und wenn er uns nun in der Nische die Nieren herausgeschnitten hätte, um sie für ein paar Kröten mehr zu verkaufen?", äußere ich offen meine Befürchtung, obwohl ich Xenia eigentlich nicht beunruhigen will.

„Du spinnst. Hast du irgendetwas von Überfällen auf Touristen hier gehört?"

Nein, habe ich nicht. Also schweige ich. Was ich sonst in Neu-Delhi nur in einsamen Parkecken sah, das erlebe ich auch hier:

Ein junger Mann läuft vor, bleibt stehen und breitet seine Arme aus. Die junge Frau läuft auf ihn zu und wirft sich ihm in die Arme. Sie herzen und drücken sich. Sie machen einen glücklichen Eindruck. Um uns Touristen kümmern sie sich nicht. Sie wissen, von uns geht keine Gefahr aus. Xenia und ich lächeln uns an.

Plötzlich hält Xenia mich am Arm fest und zeigt stumm auf den Weg nach vorn. Jetzt sehe ich dort auch einen Vogel mit einem auffälligen Kamm, vielleicht dreißig Meter entfernt.

„Ein Wiedehopf." Xenia ist hingerissen. „Der ist bei uns schon fast ausgestorben."

Auch mich fasziniert das Tier. Auf den Flügeln und auf dem Schwanz wechseln sich schwarze und weiße Streifen ab. Stolz trägt er seine Punker-Frisur aus orangefarbenen Federn, die am Ende ebenfalls schwarz und weiß gestreift sind. Wir stehen wie gebannt und beobachten den Vogel, wie er auf dem Boden herumpickt. Als er wegfliegt, sagt Xenia seufzend: „Wie schön. Ich habe zum ersten Mal einen Wiedehopf gesehen."

Wir verlassen das Plateau und steigen hinunter zur Landstraße. Dort warten wir eine Lücke zwischen den Autos ab, überqueren die Straße und gehen über einen Damm zu dem Mausoleum, das zu dem Gesamtkomplex gehört. Im Innenhof können wir die Pfeiler betrachten und über eine Treppe auf das Dach der zimmerbreiten Außenmauer steigen. Wieder zeigt ein Inder sein Zertifikat, das ihn wohl als geprüften Touristenführer ausweisen soll. Ich schüttele den Kopf. Das Wichtigste haben wir schon im Reiseführer gelesen; mehr behalte ich sowieso nicht. Noch dreimal versucht der Inder, uns zu überreden. Erst als er merkt, dass er meinen hartnäckigen Widerstand nicht brechen wird, wendet er sich traurig von uns ab.

„Fahren wir zurück", schlage ich vor, als wir eine Tomate und eine Banane verzehrt haben.

„Noch nicht", entgegnet Xenia. „Sieh mal da drüben: ein weiteres mächtiges Fort, mitten in einer Sandwüste. Wenn wir schon hier sind, will ich wissen, wie das von innen aussieht."

Natürlich, Xenia kann es nicht bei lediglich zwei Altertümern pro Tag bewenden lassen.

Ich seufze: „Na gut. Aber dann gehen wir auf dem kürzesten Weg direkt über den ausgetrockneten See."

Wieder liegen die Ruinen auf einer Anhöhe, aber nicht auf einem Felsen, eher auf einer Insel, die sich einst mitten aus dem Wasser erhob. Am Ende des oben steinigen Weges stehen wir vor den Resten eines gewaltigen Tores. Wir klettern über große Quadersteine. Direkt beim Tor sitzen zwei junge Inder. Ich zeige ihnen unsere Eintrittskarten, aber sie winken nur ab. Also gehen wir hinein.

Neben vielen kleinen Grundrissen von Wohnräumen sehe ich den Grundriss einer Halle. Ob hier früher ein Tempel stand – oder eine Empfangshalle? Zwei andere Touristen entfernen sich nach ihrem Rundgang. Endlich sind wir allein. Niemand, der uns von der Seite anquatscht, niemand, der seiner Frau die wechselvolle Geschichte der muslimischen Eroberung Indiens anhand der vor uns liegenden Steine erläutert.

Wir schreiten die weitläufige Befestigungsmauer ab und blicken durch Schießscharten hinunter auf das flache Land, das früher eine Wasserfläche war. Der Feind musste sich zu Schiff nähern und war weithin sichtbar.

Nach einer halben Stunde haben wir genug gesehen und wollen umkehren. An einer Steintreppe reiche ich Xenia die Hand, um ihr hinunterzuhelfen. Plötzlich tritt von der Seite her ein Mann auf mich zu; er scheint mir die Hand geben zu wollen. Da hebt er ein Schwert. Ha, denke ich, mit einem Plastikschwert kannst du mir keine Angst machen. Und wie lächerlich, dieser Blutfleck! Aber warum bekomme ich keine Luft? Erlaubt sich jemand einen Scherz und drückt mir von hinten die Kehle zu? Aber er drückt noch fester, so dass ich weder mich bewegen, noch schreien, noch überhaupt atmen kann. Schon schwindet mein Bewusstsein.

„Meinhard! Wach auf! Wir sind beraubt worden", sagt das Gesicht, das sich vor den Himmel schiebt.

Langsam erkenne ich Xenia. „Wo bin ich?", frage ich benommen.

„In den Ruinen von Adilabad Fort. Dich muss ein Räuber niedergeschlagen haben."

Räuber? Ach ja, der Mann mit dem Plastikschwert. Und hinter dir der Würger. Mühsam erinnere ich mich: „Vier waren es, einer mit Plastikschwert – oder war es ein Elektroschocker? Hier an der Stirn schmerzt es sehr. Ein anderer würgte mich. Unten habe ich zwei weitere erkannt. Das waren bestimmt die beiden vom Tor."

„Mich haben sie umgestoßen, mir das Geld aus der Tasche geklaut und die Kette vom Hals gerissen. Ein Erbstück meiner Mutter, diese Mistkerle!"

Und was haben sie mir gestohlen? Natürlich, die Digitalkamera, die ich in der Hand hielt. Und auch das Geld aus der Tasche. Umgerechnet zwanzig Euro hatte ich eingesteckt. Mehr fehlt mir nicht? „Wie schön, dass wir weder eine Kreditkarte noch einen Pass dabei hatten", gönne ich mir einen kleinen Triumph. Auch Xenia freut sich: „Die Taschen haben sie durchwühlt. Den Rucksack haben sie vergessen. Prima, so bleibt uns wenigstens *ein* Fotoapparat."

„Aber meine schönen Fotos von den ersten Tagen sind weg", fällt mir ein.

„Hauptsache, wir leben", sagt Xenia. „Auch wenn mir mein Po furchtbar weh tut. Ich muss wohl auf einen Stein gefallen sein. – Und wie geht es dir? Du warst bewusstlos."

Ich spüre, wie sich die Kopfschmerzen ausdehnen und langsam von der Stirn über die rechte Schläfe nach hinten ziehen.

„Komm, lass uns hier verschwinden. Vielleicht sind sie noch in der Nähe. Denen möchte ich kein zweites Mal begegnen."

Xenia hilft mir auf die Beine. Zunächst schnappe ich noch ein wenig benommen nach Luft und reibe mir ständig den Hals. Das Schlucken fällt mir schwer. Aber wir müssen weg. Hastig steigen wir den steinigen Weg hinab, ängstlich um uns blickend. Von den Räubern ist glücklicherweise nichts zu sehen. Unten, auf der Ebene des ehemaligen Sees rennen wir, um möglichst schnell die Straße zu erreichen. Eine ganze Bande Kinder kommt angelaufen und bettelt.

„Nix Geld. Wir sind ausgeraubt – we have been robbed", schreit Xenia.

Sie verstehen nicht oder halten es für eine neue Masche zahlungsunwilliger Touristen und betteln lachend weiter. Xenia wird wütend. Sie hebt einen Stein auf, brüllt und will mit dem Stein nach den Kindern werfen. Ich habe Angst, dass sie durchdreht und umklammere ihren zitternden Körper: „Hör auf! Die Kinder können doch nichts dafür."

„Dann sollen sie mich nicht anbetteln! Ich bin überfallen worden!", schreit sie erneut.

Es dauert ein Weilchen, bis sie sich soweit beruhigt hat, dass wir gehen können. Wir erreichen die Straße. Wie sollen wir nach Hause kommen? Wir haben doch kein Geld. Ach, egal. Der Rikschafahrer wird vor dem Haus einen Augenblick warten müssen, bis wir ihm das Geld bringen.

Bei jeder Unebenheit auf der Straße dröhnt mein Schädel. Ich halte mir die am meisten schmerzende Stelle und drücke gegen den Schmerz. Hoffentlich bin ich bald zu Hause, damit ich mich hinlegen kann.

Armer Polizist und teure Hochzeit

Nichts mit Hinlegen. Vera und Mark sind aufgeregt, überlegen für uns die nächsten Schritte und sprechen sich im Bekanntenkreis ab. Ich höre, wie Mark beim Telefonat mit der Polizei dezent einfließen lässt: „Die deutsche Botschaft ist bereits informiert."

Hui, sie wollen sofort kommen. Ob wir in der Lage sind, vor Ort bei der Spurensicherung zu helfen? Ich nicke matt, Xenia eifrig. Noch einmal die gleiche Strecke, dieses Mal im Polizeiauto. Vor der Einlassbude zum Ruinenkomplex unterhält sich der verantwortliche Polizist lange und ausgiebig mit dem Pförtner, es sieht nicht gerade nach Ermittlungsarbeit aus. Mark weist vorsichtig auf die untergehende Sonne hin: In einer halben Stunde wird am Tatort nichts mehr zu sehen sein.

Nach einer Anstandspause fahren wir weiter, sollen den Polizisten den Weg zeigen. Aber sie können nicht den Hang hinunter auf den ausgetrockneten See. Also dirigiere ich instinktiv einen Umweg, bis wir vor einer Mauer landen. „Wir müssen zu Fuß weiter", spiele ich den Oberkommissar.

Innerlich zweifle ich, ob ich sie nicht in die Irre führe. Ohne Machete führe ich den Polizeitrupp durchs Gestrüpp, doch schließlich stehen wir vor dem Tor. Jetzt können wir den Tatablauf an Ort und Stelle schildern. Inzwischen ist es tatsächlich dunkel. Der leitende Polizist fordert über Funk starke Scheinwerfer an. Die anderen Polizisten schwärmen aus. Ob sie versteckte Räuber suchen?

Als die Scheinwerfer eintreffen, fotografieren zwei Ermittler den Tatort. Xenia findet sogar die Eintrittskarten, die beim Durchwühlen ihrer Taschen hinuntergefallen waren. Immerhin ein Beweis, dass wir uns die Story nicht ausgedacht haben. Aber nein, sie nehmen uns ernst, sind sogar deutlich um den Eindruck bemüht: Die indische Polizei kümmert sich um Touristen. Und sie sprechen uns an: „Überfälle auf Touristen gibt es eigentlich gar nicht. Trotzdem sollte man lieber einen einheimischen Begleiter dabei haben, wenn man ein abgelegenes Fort besichtigt. Ein Elektroschocker? Nein, das können sich Kleinkriminelle, und das waren sie wohl, gar nicht leisten."

Zeitweise sind 11 Polizisten mit unserem Fall beschäftigt. Schließlich ziehen die drei Fahrzeuge mit uns ab. Auf der Wache müssen wir warten, bis das Protokoll aufgesetzt ist.

„Möchten Sie Tee?", fragt ein freundlicher Polizist.

„Gern."

Bei so viel Freundlichkeit und Diensteifer kann ich mir gar nicht vorstellen, warum die indische Polizei in der Bevölkerung nicht gerade beliebt ist, weil sie korrupt sei und foltere.

Diese netten Herren sollen foltern?

Am nächsten Tag besucht uns ein eher behäbiger Polizist von der nächsten Wache, um noch ein paar Fragen zu klären. Er sieht sich ausführlich in der Wohnung um. „Mein Bruder heiratet demnächst. Ach, eine Hochzeit kostet unglaublich viel Geld."

Wir sind etwas begriffsstutzig. Der Polizist hat aus der Wohnungseinrichtung seine Schlüsse gezogen. Er erscheint nun alle vier bis fünf Stunden, um scheinbar eine ergänzende Frage zu stellen oder um uns zu einer Gegenüberstellung zu bewegen. Erst als Mark bei der Dienststelle klarmacht, dass wir noch unter den Folgen des Überfalls leiden, hören die Besuche auf – ohne dass wir etwas gezahlt haben.

In den nächsten Tagen befällt mich gelegentlich das unwiderstehliche Gefühl, dass ich mich schnell umdrehen und zuschlagen muss. Oder die Anmache der Händler löst einen Koller aus, und ich muss ganz schnell einen menschenleeren Winkel aufsuchen, bis ich mich beruhigt habe. Dummerweise erinnern mich anhaltende Schluckbeschwerden daran, wie mir die Kehle zugedrückt wurde.

Bekannte von Vera und Mark nehmen regen Anteil an dem Überfall und bedauern ihn sehr. Derartige Vorfälle scheinen selten zu sein. Von Warnungen war allgemein nichts bekannt.

– Eigentlich sind wir glimpflich davongekommen, wenn ich an jenen Inder denke, den Nazis in Berlin jagten (und dem sie mit Springerstiefeln ins Gesicht traten).

Frau Dr. Khan, Herr Dr. Gupta

Nach einer unruhigen Nacht sind die Kopfschmerzen heute Morgen noch stärker. Jetzt bin ich damit einverstanden, ins Krankenhaus zu gehen. Ich bin froh, dass Vera und Xenia mitkommen. Vera hat schon Erkundigungen eingezogen. Am besten ins beste, lautete der Ratschlag deutscher Kolleginnen, die schon länger in Neu-Delhi wohnen. Ins Max. Trotzdem bin ich skeptisch, was mich in einem indischen Krankenhaus erwartet.

Erste Überraschung: Ohne Wartezeit wird mein Fall aufgenommen. Ich bekomme einen persönlichen Fahrer zugewiesen, der mich ab jetzt im Rollstuhl von einer Abteilung zur anderen karrt. Sie sind gründlich im Max, eine der sieben Kliniken, die zur Max-Kette gehören. Sie geben sich nicht mit einfachem Röntgen zufrieden, sie schieben mich vielmehr in die Röhre. Computer-Tomographie – das wird teuer, fährt es mir zwischen zwei Schmerzwellen durch den Kopf. Gut, dass ich eine zuverlässige Auslandsversicherung abgeschlossen habe. Nach dem CT fährt mich mein persönlicher Betreuer zum EKG. Nirgends muss ich länger als fünf Minuten warten, bis ich drankomme. Vor einer Woche dauerte es in meinem Berliner Krankenhaus zwei Stunden, bis die Röntgenärztin sich meiner annahm.

Zwischendurch erhasche ich einen Blick auf ein großes Plakat: „Bei vorgeburtlichen Untersuchungen geben wir grundsätzlich das Geschlecht des Kindes <u>nicht</u> bekannt!"

Wie schön. Dieses Krankenhaus unternimmt also etwas gegen die barbarische Unsitte, weibliche Föten abzutreiben, nur weil es Mädchen werden. Sogar die Todesrate von weiblichen Säuglingen im ersten Lebensjahr liegt drastisch über der der männlichen. Diese Grausamkeit hat einen einfachen, handfesten Grund: Oft stürzt die Mitgift, die die Familie der Braut zu zahlen hat, die gesamte Familie in erdrückende Schulden. Die Jungen überleben.

Eine Ärztin reißt mich aus meinen Gedanken. Sie ist mittelgroß, trägt einen Kurzhaarschnitt, sieht gut aus und tritt selbstbewusst auf. Unter dem Arztkittel bemerke ich enge schwarze Hosen – für indische Verhältnisse ungewöhnlich. Ich versuche, meine Antworten auf ihre Fragen zu erläutern. Resolut unterbricht sie mich: „Antworten Sie bitte knapp und klar."
Das habe ich von einer indischen Frau noch nicht gehört. Sie muss sich unter ihren männlichen Kollegen sicher durchboxen, überlege ich. Obwohl mich ihr fast ruppiger Ton sonst sehr gestört hätte, empfinde ich hier eher Mitgefühl für sie.
Hinterher teilt sie mir das Ergebnis der Untersuchungen mit: wahrscheinlich eine Gehirnerschütterung: „Schonen Sie sich ein paar Tage. Wenn es dann nicht besser wird, kommen Sie wieder."
„Und die Ausfälle im Gesichtsfeld?", frage ich vorsichtshalber.
Sie zuckt die Schultern: „Auch das dürfte verschwinden."
Mein Fahrer verlässt mich samt Rollstuhl. Jetzt muss ich wieder auf eigenen Beinen stehen. Zum Abschluss überreicht mir die Ärztin die Rechnung. Vorsichtshalber sehe ich mich nach einem Stuhl um. Umgerechnet keine 70 Euro? Ist das überhaupt für mich? Tatsächlich. Das kann ich nicht einmal bei der Versicherung einreichen, mein Tarif enthält 100 Euro Selbstbeteiligung. Trotzdem atme ich erleichtert auf und verlasse die Klinik mit einem großen Kompliment. Aber natürlich weiß ich, dass sich die übergroße Mehrheit der Inder keine Krankenhausbehandlung für 70 Euro leisten kann.

Drei Tage später bemerke ich beim Ausziehen eine Rötung in der Leiste. Ich stutze. „Xenia, schau mal bitte genau hin, ob du eine Zecke erkennen kannst."
Sie verdreht die Augen: „Du mit deiner Zeckenpanik."
Aber dann stutzt auch sie: „Da ist tatsächlich ein schwarzer Punkt in der Mitte. Ich hol sofort die Zeckenzange."
„Du hast die Zeckenzange eingesteckt? Toll! Daran hätte ich nie gedacht. Und wahrscheinlich hätte ich dich sogar ausge-

lacht, wenn du es mir erzählt hättest." Es wurde Zeit, ich hatte sie heute noch nicht gelobt.

Mit einem zufriedenen Lächeln macht sich Xenia ans Werk und hat nach einigen vergeblichen Versuchen schließlich den Übeltäter in der Zange.

„Ich kann es nicht fassen: eine Zecke! Neun Impfungen hatte ich über mich ergehen lassen, um gegen alle möglichen tropischen und subtropischen Krankheiten gewappnet zu sein. Und dann erwischt mich eine stinknormale Zecke", jammere ich. Und überlege laut. „Es muss im Park gewesen sein. Ich hatte keine Strümpfe an. Die Biester riechen ja auf fünf Meter Entfernung die Buttersäure an den Füßen."

Wieder nehme ich mir fest vor, nur noch mit Strümpfen ins Grüne zu gehen. Und kündige Xenia gleich meine neue Outdoor-Mode an: „Zum Schutz vor den Zecken werde ich in Zukunft die Strümpfe über die Hosenbeine ziehen. Da mögen die Leute lachen, so viel sie wollen."

Mehr als das Lachen der Leute fürchte ich, dass Xenia sich zu den lachenden Leuten gesellt und mit dem Finger auf meine eingestrumpfte Hose zeigt.

Aber Xenia hat mir gar nicht richtig zugehört. Sie ist mit Rechnen beschäftigt: „Im Park. Das war gegen 4 Uhr. Jetzt ist es 11. Die Viecher sollen erst nach acht Stunden ausscheiden und die Bakterien ins Blut ihres Opfers kippen. Dann hast du Glück gehabt. Trotzdem solltest du morgen zum Arzt gehen."

Ich füge mich, auch aus eigener Einsicht.

Trotzdem spüre ich am anderen Morgen Kopfschmerzen und Schwindel, also einen neuen Schub meiner abklingenden Borreliose. Im Internet heißt es beruhigend: Die europäische Hirnhautentzündung (FSME) sei nicht gefährlich, Todesrate um 1 Prozent. Bei der auch in Indien verbreiteten russischen Variante hingegen betrage die „Letalität" 30 Prozent. Ich will von solch schrecklichem Wissen verschont bleiben und klappe den Laptop zu. – Warum warnt das Auswärtige Amt nicht vor Infektionen mit 30-prozentiger Chance, ein Ticket ins Nirwana zu ergattern?

Vielleicht wird mich ein indischer Arzt mit geübter Ayurveda-Behandlung vor dem sicheren Tod bewahren. Glücklicherweise gibt es schräg über die Straße eine Poliklinik.

Der Wartesaal ist voll, nicht anders als bei uns. Aber ich werde sofort aufgerufen, zur Privataudienz bei Dr. Gupta, der den stolzen Namen eines mächtigen alten Herrschergeschlechts trägt.

Mein Dr. Gupta thront hinter seinem Schreibtisch. Er möchte mit mir über den großen deutschen Sanskrit-Forscher Max Müller diskutieren. Vor allem interessiert er sich für meinen Wohnort: „Ah! Berlin!", und er berichtet stolz, dass seine Tochter in Amsterdam studiert. Es hört sich an wie gleich neben dem Wedding, wie ein Stadtteil von Berlin: Das liegt doch bei Ihnen um die nächste Straßenecke. Nun ja, aus indischer Perspektive …

Ich bitte Dr. Gupta um ein Antibiotikum, aber er hört mir nicht zu. Oder ist ihm „Lyme disease", der medizinische Name für Borreliose, unbekannt? Er schreibt ein Rezept und reicht es mir über den Schreibtisch: „Damit reiben Sie die Bissstelle zweimal täglich ein. Die Tabletten sind gegen den Durchfall. Und jetzt begeben Sie sich bitte zur Spritze."

Ich finde mich in einem Raum wieder, der eher einer Abstellkammer als einem Behandlungsraum gleicht. Ein Helfer kommt herein. Ob er eine medizinische Vorbildung besitzt? Er könnte auch zur Putzkolonne gehören. Auf dem Arm trägt er ein Putzlappenpaket. Dieses Paket wickelt er aus. Ach, eine Spitze verbarg sich darin. Er desinfiziert eine Stelle auf meinem Oberschenkel und jagt mir mit Schwung die Nadel ins Muskelfleisch. Was das wohl für eine Medizin war? Zu spät.

Zu Hause blättere ich in meinem Reiseführer. Unter dem Stichwort Arztbesuch lese ich: „Eine Einwegspritze sollte immer zu Ihrem Gepäck gehören. In Indien ist nicht durchweg sichergestellt, dass die Spritzen sterilisiert sind und kein AIDS übertragen."

Ein flaues Gefühl befällt meinen Magen. Wird dieser Arzt-besuch der Anfang vom Ende sein? In meinem Bauch rumpelt es schon wieder gewaltig. Ich eile zum Apotheker quer über die Durchgangsstraße. Er reicht mir ein ominöses Fläschchen, zählt mir meine Tabletten ab und füllt sie in eine Papiertüte. Das kostet mich umgerechnet 1 Euro 30 Cent.

Alte und neue Pracht

„Kashmere Gate ist ein besondere Sehenswürdigkeit, allerdings nicht so alt wie die Gräber, Moscheen und Minarette aus der Mogulzeit. Es handelt sich um einen grünen Stadtteil in europäischem Stil. Die Briten errichteten hier während ihrer Kolonialherrschaft ein Vergnügungsviertel."

Schon hat uns Mark zu einem Sonntagsausflug verführt. Vor Ort ziehen wir verwirrt den Stadtplan zu Rate. Es gibt keinen Zweifel, wir sind in Kashmere Gate. Ich bin entsetzt. Die Häuser sehen nach zweigeschossigen Bruchbuden aus, schwarz und baufällig. Wenn sie nicht dicht aneinandergedrängt stünden, würden sie zusammenfallen. Wo ist der alte Glanz? Hier und da stinkt es nach Urin. Großflächige Firmenschilder und Werbetafeln verdecken einen Teil des baulichen Elends. Hinter ausgefallenen Fensterscheiben lauern dunkle Löcher. Nein, diesem „grünen Stadtteil in europäischen Stil" kann ich nicht einmal den Charme des Morbiden zubilligen.

„Werktags herrscht hier sicher reger Geschäftsverkehr", meint Mark nachdenklich.

Und das hier soll mal die Reeperbahn der britischen Soldaten gewesen sein?

„Lassen die Inder das bauliche Erbe der Kolonialzeit absichtlich verkommen?", frage ich Mark. Sein Gesicht strahlt nicht gerade Frohsinn aus; auch er hat sich unter Kolonialstil etwas anderes vorgestellt.

„Andere Bauten der Briten, z. B. in dem Viertel rund um den großräumigen Connaught Place, machen einen durchaus gepflegten Eindruck."

Immerhin sehe ich hier am Kashmere Gate doch noch etwas glänzen: die St. James Kirche – in sonntäglichem Weiß. Ein Garten mit Rasen und Blumen umgibt die Kirche, ein Luxus, der mit ständigem Wässern bezahlt werden muss. Das helle Weiß der Kirche und das frische Grün des Rasens stehen in krassem Gegensatz zum schmuddeligen und staubigen Graubraun der umliegenden Häuser und Straßen. Eine Mauer schützt die Idylle und hält die triste Wirklichkeit fern. Drinnen gibt es Gedenktafeln für britische Soldaten, die während des indischen Aufstandes von 1857-59 starben.

Nicht weit entfernt steht das Kashmere Gate, ein Nationalmonument, weil es hier zu heftigen Kämpfen der aufständischen indischen Soldaten mit den britischen Kolonialtruppen kam.

Auf der Heimfahrt benutzen wir die U-Bahn und sind überrascht, wie diszipliniert sich die Inder sogar in zwei Warteschlangen einreihen, auch wenn sie von einem Zug nicht mitgenommen wurden. Queuing – very british! Wir müssen nicht lange warten, nach drei Minuten fährt die nächste Bahn ein.

„Eigentlich erstaunlich", räumt Mark ein, „auf die U-Bahn kann ich mich verlassen. Sie erreicht eine Pünktlichkeit von über 99 Prozent. Schafft das die Berliner U-Bahn?"

Ich muss kurz überlegen. „Bei der U-Bahn weiß ich es nicht. Die Berliner S-Bahn schafft das mit Sicherheit nicht."

Entgegen unseren Befürchtungen bleiben wir in der U-Bahn unbehelligt und steigen am Connaught Place aus, dem ehemals britischen Einkaufszentrum Neu Delhis. Die Gebäude sind kreisförmig angeordnet und das sogar doppelt: Es gibt einen inneren und einen äußeren Ring. Im Gegensatz zur sonstigen Stadt finden wir hier leicht ein „westliches" Café.

Andertags wollen wir ins Umland und verlassen mit dem Auto die Stadt in südwestlicher Richtung. Kilometer um Kilometer fahren wir neben der U-Bahnbaustelle her. Die U-Bahn wird hier als Hochbahn auf Stelzen gebaut.

„Man kann es sich nicht vorstellen, aber die Linie soll im nächsten Jahr zu den Commonwealth Spielen fertig sein", weiß Mark zu berichten.

„Sieh mal!" Xenia zeigt nach draußen in die Höhe. „Diese riesigen Plattformen – das werden dann wohl Haltestellen."

Die Plattformen erscheinen mir so groß wie ein Fußballfeld.

„Es müssen Unmengen an Stahl und Zement allein für die U-

Bahn verbaut worden sein. Deshalb sind die Preise für Stahl und Zement in den letzten Jahren so gestiegen."

Ständig holpert unser Auto über provisorische Trassen, quetscht sich neben andere Fahrzeuge auf schmalen zwei Spuren und schlängelt um Baustellen herum.

„Was soll das erst werden, wenn sich 250 Millionen Inder ein Auto leisten können!", entfährt es mir. Die Zeitungen haben gerade über den neuen, äußerst billigen Kleinwagen „Nano" berichtet, der von der Firma Tata vorgestellt wurde. 1.700 Euro soll er umgerechnet kosten.

Mark nickt: „Das ist ein Alptraum für alle Umweltschützer. Aber auch für die indische Regierung: Die Massen dieses Autos erfordern tausende neuer Straßenkilometer. Und die Regierung muss schnellstens neue Pläne für die Verkehrsinfrastruktur aufstellen."

Am Straßenrand löst ein moderner Geschäfts-, Hotel- und Wohnbau den anderen ab. Etwas weiter erkenne ich Hochhaustürme. Wir fahren durch Gurgaon, das neue Geschäfts- und Industriezentrum Delhis.

„Gurgaon hat schon über 200.000 Einwohner", erläutert Mark. „Aber nur Besserverdienende können sich die Mieten hier leisten."

Man kommt offensichtlich mit der Namensgebung nicht mehr hinterher und teilt die neuen Viertel einfach in Sektoren ein: 95, 96 … eine Riesenbaustelle, die sich wie ein Moloch in die flache Landschaft frisst. Ich muss lachen; mir fällt ein, dass man die Baustelle am Potsdamer Platz in Berlin als größte Baustelle Europas pries. Berlin kommt mir von hier aus wie ein gemütliches Dorf vor.

Das britisch-indische Königreich

Zunächst rangen Portugal und die Niederlande um die Vorherrschaft über Indien. Ab 1740 rivalisierten dann England und Frankreich mit ihren ostindischen Handelskompanien. Diese Rivalität wurde 1757 militärisch zugunsten der Britischen Ostindien-Kompanie entschieden. Stück für Stück dehnten die Briten in der ersten Hälfte des 19. Jahrhunderts ihren politischen und militärischen Einfluss aus – vor allem mit Hilfe indischer Hilfstruppen, der Sepoy.

Die indischen Reiche mussten Tribute zahlen. Allein mit diesen Einnahmen konnte Großbritannien die Zinsen seiner Staatsschuld begleichen.

Immer wieder kam es zu Hungersnöten, bei denen 10 Millionen Inder starben. 1857 erhoben sich die Sepoy gegen ihre britischen Befehlshaber. Erst nach einem Jahr und schweren Kämpfen stellten die Briten ihre Kontrolle wieder her. Nun wurde Indien von einem halbprivaten Herrschaftsgebiet der Ostindien-Kompanie in eine offizielle Kolonie der britischen Krone umgewandelt.

Im August 1947 erlangte Indien die staatliche Unabhängigkeit von Großbritannien.

Romantische Liebe und die Super-Khans

Auf dem Flug von Helsinki nach Delhi hätte ich lieber schlafen sollen. Stattdessen sah ich mir einen Bollywood-Film an und erreichte Indien völlig übermüdet.

Man spricht häufig abwertend von Bollywood-Schinken, weil sie kitschig seien. Neutral heißen sie Hindi-Filme. Damit meinte man vor allem in den Siebziger Jahren auf den indischen Massengeschmack und auf kommerziellen Erfolg ausgerichtete Unterhaltungsfilme. Hindi-Filme setzen auf Dramatik und starke Gefühle, auf Romantik und Leidenschaft. Sie mobilisieren diese Gefühle auf indische Art: mit dramatischen Szenen, viel Liebestheatralik (aber ohne Kuss, ohne Sex), mit Songs und vor allem mit ständigen Tanzeinlagen. Geradezu als Glaubensbekenntnis wirkt der Grundsatz: Auf die Familie kommt es an und auf die Moral. Nicht nur in Indien, auch in den arabischen Ländern sind Bollywood-Filme sehr beliebt. Inzwischen hat die Begeisterung auch die westlichen Länder erreicht. Bollywood – eine indische Traumfabrik.

Bollywood in Mumbai existiert seit 60 Jahren und übertrumpft Hollywoods Filmindustrie, was die Anzahl und den finanziellen Umfang der Produktionen betrifft. Außerdem verfügt Indien über ein zweites Filmzentrum: Tollywood in West-Bengalen. Längst steht Bollywood nicht mehr nur für billige, gefühlsduselige Unterhaltung mit Gesang und Tanz. Auch Themen wie „Gewalt gegen Frauen" oder „Was macht einen Menschen zum Terroristen?"werden aufgegriffen. Aber eines bleibt mir unverständlich: Das zentrale Thema der Hindi-Filme ist und bleibt die romantische Liebe, ob sie nun gelebt werden kann oder ob sie an ihrer Umgebung scheitert. Offensichtlich träumen alle Inderinnen und Inder von der großen Liebe. Wie verträgt sich das mit der landesweit vorherrschenden Zustimmung zur arrangierten Ehe?

Ich bin überrascht, als ich abends fernsehe und in einem TV-Film am Familienleben einer christlichen Familie teilnehme. Immerhin stellen Christen eine sehr kleine Minderheit in Indien dar. In einem anderen Film nimmt eine junge Frau vor ihrer Hochzeit Abschied von ihrem Geliebten: Sie reisen beide für ein Liebeswochenende nach Mumbai.

Holidays in Mumbai ist eine geflügelte Wendung für den Abschiedsurlaub mit der Geliebten vor der – natürlich arrangierten – Ehe. Also für etwas, das es eigentlich gar nicht geben darf. Das hat mir Vera verraten.

Meinen neuen Lieblingsfilm sehe ich eines Tages im Hotel: „Outsourced", ein witziger und dennoch anrührender Film über das moderne Indien. Ich staune über die Darstellung eines Amerikaners, der im Auftrag seines Mutterkonzerns nach Indien reist und dort den Angestellten beibringen soll, wie man erfolgreich ein Callcenter betreibt. Er macht allen Mut mit seinem typisch amerikanischen Mantra: „Du kannst es." Auch seiner indischen Freundin. So sehr sich der Amerikaner und die Inderin lieben, er darf es nicht kundtun: „Don't touch me in the public", verlangt sie von ihm.

Letztlich „kriegen" sie sich nicht, der sympathische Ami muss zurück in die Staaten und vermeidet so weitere Verwicklungen.

Aber in diesem Film haben die Inder dem Amerikaner ebenfalls etwas zu bieten: Wegen eines Stromausfalls ist das Callcenter lahm gelegt. Nun zeigt ein mutiger indischer Beschäftigter, wie er improvisieren kann; er zapft die öffentliche Stromleitung an und bringt die Computer der Firma wieder zum Laufen.

Dieser sympathische Alleskönner lädt seinen amerikanischen Chef und Freund zu sich nach Hause ein. Sie gehen durch dunkle, enge und unheimliche Gassen, erreichen die Wohnung des Inders jedoch unbehelligt. Dort hat die Frau des Gastgebers schon Fladenbrot gebacken, die Kamera zeigt zu meiner großen Verwunderung ein VW-Emblem auf dem Fladen. Das nächste Bild erklärt diese Werbung: Die Frau hatte den Fladen in einer Radkappe gebacken. Erst am Ende des Films erfahre ich, dass es sich um eine US-amerikanische Produktion handelt.

In den üblichen Bollywood-Filmen gehen mir die ewig gleichen Tanzeinlagen und die schnulzige Machart der Songs schnell auf den Keks, sogar schon nach den paar Hindi-Filmen, die ich gesehen habe. Aber Bollywood hat sicherlich viel mehr Facetten …

Es ist mir ebenfalls ein Rätsel, warum so viele muslimische Schauspieler (allein drei Khans) eine so bedeutende Rolle im Hindi-Kino spielen können, besonders nachdem die Hindu-Nationalisten die Macht im Bundesstaat Maharashtra eroberten, dessen Hauptstadt Mumbai ist.

Einer der international bekanntesten und beliebtesten Bollywood-Stars ist Shah Rukh Khan oder SRK. Er ist Schauspieler und Sänger, Entertainer und Produzent und zählt in der Presse zu den 50 wichtigsten Menschen Indiens. Erstaunlich angesichts der religiösen Spannungen in Indien, dass Shah Rukh Khan auf dem Titelbild eines Magazins verkündet: „I am a Muslim. It's fantastic to be me." Frei übersetzt: Ich bin ein Muslim, und das ist gut so.

Gelegentlich propagieren Bollywood-Filme kulturelle und religiöse Toleranz, wie „Mumbai Meri Jaan" – Mumbai, meine Liebe (2008).

Mit dem neuen Bollywood-Film „My name is Khan" löste Shah Rukh Khan Anfang 2010 eine „Krise in Mumbai" aus, weil er sich darin gegen die Diskriminierung von Muslimen wendete – ohne das übliche Tanz-Lieder-Liebe-Muster Bollywoods. Vielleicht war der Film von vornherein für den Weltmarkt geplant. Allerdings handelt er nicht von diskriminierten Muslimen in Indien, sondern spielte in den USA nach dem 11. September 2001. Shah Rukh Khan ist – wie im Film – auch im wirklichen Leben mit einer Hindu-Frau verheiratet.

Reiseführer Sunny

Endlich starten wir zu unserer Tour durch Rajasthan, durch die indische Provinz südwestlich der Hauptstadt Delhi, und nach Agra, wo das Taj Mahal steht. Wir melden uns an der Rezeption des angegebenen Hotels. Man bittet uns zu warten. Nach einer halben Stunde wird Xenia unruhig: „Frag doch mal nach."

„Was soll schon sein", entgegne ich, gehe aber zum Tresen.

„Wir müssen etwas klären", heißt es dort.

Nach einer weiteren halben Stunde kommen auch mir Zweifel.

„Wir telefonieren", antwortet die Dame an der Rezeption.

Ich bleibe jetzt vor ihr stehen. Als sie auflegt, werde ich endlich konkret informiert: „Sie sind hier in ein falsches Hotel bestellt worden. Außerdem erwartet man Sie gerade am Inland-Flughafen. Aber wir haben alles geklärt. Warten Sie noch etwas, Sie werden gleich abgeholt."

Kopfschüttelnd berichte ich Xenia.

„Ob es mit unserer Reise überhaupt klappt, wenn schon vor ihrem Beginn so viel schief läuft?"

Ich teile ihre Bedenken, will sie jedoch nicht ängstigen und schweige lieber. Nach einer weiteren halben Stunde erscheinen zwei Inder und holen uns ab ins richtige Hotel. Wir sind erleichtert. Zum Empfang bekommen wir jeder eine lange Kette aus Tagetes-Blüten umgehängt. Sie lassen zwar schon etwas die Köpfe hängen, duften aber noch kräftig. Wir sind etwas versöhnt. Mit der Blumenkette kann unsere schöne Rundfahrt beginnen.

Im richtigen Hotel schlägt jemand bis 2 Uhr in der Frühe und wieder ab 5 Uhr 30 mit einem riesigen Stahlhammer gegen die Wasserrohre. Selbst Betablocker schützen mich nicht vor einem Blutdruckanstieg und einem dreieinhalbstündigen Mini-Schlaf.

„Nein, keine Reparaturen", antwortet die Hotelangestellte auf meine Beschwerde am anderen Morgen. „Manchmal soll es

Luftblasen in den Rohren der Ersatz-Wasserversorgung geben. Es tut mir leid, wenn Sie sich gestört fühlten."
Ja, ich tue mir ebenfalls leid. Aber wir reisen glücklicherweise schon wieder ab.

Ein moderner Inder, denke ich. Unser Reiseführer ist in den Bus gestiegen und stellt sich vor: Mahakranandra Prahkahanabat.
„Aber", so ergänzt er schnell, „Die meisten Reisenden haben Schwierigkeiten, diesen Namen auszusprechen. Also nennen Sie mich einfach Sunny, wie es meine Freunde tun."
Sunny strahlt. Offensichtlich wirbt er um die Sympathie seiner deutschen Kunden, die er jetzt eine Woche lang auf der Rundreise durch Rajasthan betreuen wird. Sunny mag 35 Jahre alt sein, sieht gut aus und hat eine braune Hautfarbe. Aber das ist bei Indern nichts Besonderes. Er trägt keine Kurta, das traditionelle kragenlose, knielange Kleidungsstück der Männer. Sein gebügeltes Hemd weist ihn als Angehörigen der Mittelschicht aus, der sich so etwas leisten kann. Die hellblaue Farbe des Hemdes harmoniert bestens mit den Bluejeans, die einen westlichen Lebensstil signalisieren. Ein moderner Inder, denke ich noch einmal.
Und ich registriere befriedigt, dass er ein nahezu einwandfreies Deutsch spricht.
Wir beginnen unsere Reise mit einer Stadtrundfahrt durch Delhi. Sunny erläutert die touristischen Ziele in Delhi und in Rajasthan, die wir ansteuern werden. Er will uns seine Heimat Indien näher bringen. Dafür fordert er Geduld und Toleranz von uns ein und die Bereitschaft, fremde Sitten und Gebräuche nicht gleich abzulehnen, nur weil sie uns absonderlich erscheinen. Die meisten von uns nicken erkennbar, die anderen tun es wohl innerlich. Wer nach Indien reist, stellt sich auf eine andere Welt ein. Asien ist anders, so viel haben wir gelernt.
Sunny sagt oft „wie gesagt". Das ist bei ihm keine Floskel, er wiederholt sich tatsächlich ständig. Na gut, vielleicht ist es sein

didaktisches Prinzip. Was er wiederholt, soll mit Sicherheit bei uns hängen bleiben.

Gleich in Delhi besuchen wir den Birla-Tempel, ein hinduistischer, der erst dreißig Jahre alt ist und von einem reichen Inder gestiftet wurde. Beim Betreten des Tempels schlägt Sunny eine Glocke an. Vor uns steht eine riesengroße Statue mit einem Elefanten-Gesicht. Sie stellt den Gott Ganesha dar, wie Sunny erläutert. Ganesha wird angerufen, damit er für Wohlstand sorgt. Eine ähnliche Funktion wird dem Swastika-Zeichen zugeschrieben, einem Hakenkreuz. Sunny bemerkt, dass die Swastika – und dann noch an einem Tempel! – bei uns unangenehme Gefühle hervorruft. Er klärt uns auf: „Inder beschwören mit der Swastika gutes Gelingen eines neuen Geschäfts oder Glück im neuen Haus."

Im Bus hält Sunny dann einen ausführlichen Vortrag über die hinduistische Religion. Es ärgert mich, weil er sich nicht auf Informationen beschränkt, sondern die Grenze zu einer Bekehrungspredigt überschreitet. Er mag gläubig sein, aber wir wollen nicht missioniert werden. Leider können wir ihm während der Fahrt nicht entkommen. So blicke ich aus dem Fenster und widme mich der Landschaft und dem Verkehr.

Sunny erzählt nicht alles über den Hinduismus. Nichts über Krishna, den Gott der Liebe, nichts über das Paar Krishna und Radha. Und erst recht nichts über fanatische Hinduanhänger, die Moscheen stürmen und Muslime massakrieren. Sunny färbt schön. Er lässt weg, was sein glattes Bild trüben könnte. Beiläufig erwähnt er, dass es in Indien natürlich noch viel Armut gibt. Etwas verständlicher wird mir seine Haltung, als er stolz verkündet: „Mein Großvater war ein Brahmane. Auch ich darf religiöse Zeremonien abhalten."

Er fühlt sich also dieser erhabenen, obersten Kaste zugehörig. Ein Mitreisender fragt Sunny nach der Schulpflicht in Indien. Sunny antwortet: „Sehen Sie, wir müssen nicht alle Fehler des Westens nachmachen. Es gibt Menschen, denen liegt die praktische Arbeit mehr. Warum sollen sie jahrelang zum Schulbesuch gezwungen werden?" Ja, denke ich, da spricht der standesbewusste Brahmane, der seine Standesprivilegien nicht gern durch eine allgemeine Schulbildung gefährdet sieht. An Bluejeans kann man eben doch keine Lebenshaltung ablesen.

Sunny kennt noch einen Fehler des Westens, den Indien nicht kopieren wird: „Man sagt unseren Gefängnissen nach, dass sie unmenschlich seien. Wir halten nichts davon, die Gefangenen mit Swimming-pool und Frauenbesuch zu verwöhnen."

Wir besuchen ein Dorf, weitab von Fernverkehrsstraßen. Unser Hotel hat einen Vertrag mit einer Familie abgeschlossen. Mit Landrovern werden wir hingefahren, das Kaffeegeschirr im Gepäck. Wir holpern über staubige Straßen, die einem Feldweg knapp entwachsen sind. Das Programm hatte versprochen: „Der Reiseführer wird Ihnen dabei helfen, Ihre Fragen an die Dorfbewohner zu stellen."

Nach den Keksen und dem Tee dürfen wir Fragen stellen. „Wie viel Hektar Land gehören dieser Familie?", möchte Xenia wissen. Sunny übersetzt diese Frage nicht. Wir wundern uns.

„Die Familie würde diese Frage als zu intim ansehen", erklärt er sein Verhalten.

Was soll man also noch fragen ohne zensiert zu werden? Wir lassen es bleiben. Außerdem wartet die nächste Reisegruppe darauf, den Platz auf unseren Stühlen einzunehmen und ihre Fragen an das Familienoberhaupt richten zu können.

Wir wissen inzwischen, dass wir bei Sunny vorsichtig sein müssen, schließlich hatte er von uns Toleranz verlangt. Also fragt ein Mitreisender ganz allgemein, welche Rolle Zwangsverheiratung in Indien spielt. Sunny sammelt sich ein wenig, bevor er antwortet.

„Sehen Sie, warum soll eine Ehe unglücklich sein, die im Einvernehmen zweier Familien zustande kam? Ja, 95 Prozent der Ehen werden bei uns arrangiert. Sie im Westen haben eine Scheidungsrate von 50 Prozent. Bei uns sind es vielleicht drei bis fünf Prozent der Ehen, die geschieden werden. Wer ist wohl glücklicher?"

Wir schweigen. Die 50 Prozent haben uns getroffen, haben uns ein schlechtes Gewissen beschert. Im Bus sitzen eine Witwe und fünf Paare, von denen jeder Partner einen anderen Namen trägt. Nicht *eine* traditionelle Ehe.

Hinterher ärgere ich mich über mich selbst. Warum hatte ich ein schlechtes Gewissen? Warum bin ich nicht aufgestanden und habe ihm entgegengehalten: „Ja, ich bin geschieden, und ich bin glücklich, nicht mehr unter sozialem oder religiösem Zwang mit einem Menschen zusammenleben zu müssen, von dem ich mich entfremdet hatte."

Erst im Nachhinein wird mir bewusst, dass das Recht auf Scheidung für mich ein zivilisatorischer Fortschritt ist. Und diesen Fortschritt will ich mir von einem fortschrittlich erscheinenden Hindu nicht madig machen lassen.

Brahmanen, Dalits und Adivasis

Das traditionelle Kastenwesen in Indien stammt aus frühhinduistischer Zeit (vor dem 1. Jahrtausend u. Z.). Den einzelnen Kasten war ein gesellschaftlicher Rang zugewiesen. Im Beruf und bei der Heirat spielte die Kastenzugehörigkeit eine große Rolle. Wenn ein Höherkastiger mit einem Niederkastigem gemeinsam aß, fühlte er sich rituell verunreinigt. Das soziale Gefüge der Kasten war mit einer religiösen Vorstellung von Reinheit verbunden. Auch Muslime und Christen übernahmen in Indien das Kastenwesen für sich.

Gandhi trat für die Überwindung des Kastenwesens ein und nahm schon früh, trotz Widerstands von Mitstreitern, Kastenlose in seine Schule (Ashram) auf. Er nannte die Kastenlosen Kinder Gottes. Auf Gandhis Betreiben wurde in der indischen Verfassung verboten, Kastenlose zu benachteiligen. Heute haben diese aufgrund gesetzlicher Quoten Anspruch auf besser bezahlte Posten. 1997 konnte ein Kastenloser sogar Staatspräsident werden.

Trotzdem spielen Kasten im Alltag immer noch eine Rolle, allerdings nicht mehr die ursprünglichen vier Hauptkasten Brahmanen (Priester und Intellektuelle), Kshatriyas (Krieger und Herrscher, in

Rajasthan auch die Rajputen), Vaishyas (Kaufleute und Grundbe-
sitzer) und Shudras (Handwerker, Pachtbauern, Tagelöhner), sondern die Unterkasten oder Jati, die sich auf kleinere Gruppen oder
sogar Berufe beziehen. Eine staatliche Kommission zählte 3.743 „zu-
rückgebliebene Klassen". 30 bis 50 % der Bevölkerung sollen zu ihnen
gehören. Geheiratet wird oft innerhalb der eigenen (Unter-)Kaste.
Kastenlose nennen sich kämpferisch Dalits: Ausgebeutete, Unterdrück-
te. Eine besondere Gruppe der Kastenlosen bilden die Adivasis, die
indigenen Völker, denen man nicht gern die Bezeichnung Ureinwoh-
ner gestattet und die man stattdessen „gelistete Stämme" nennt.

Geben Sie mir fünf Minuten!

Ich will den Pass und das Geld in den Safe einschließen. Der Safe steht offen. Er lässt sich nicht schließen. Laut Anweisung soll ich zunächst den alten Code eingeben, bevor ich ihn neu mit meinem persönlichen Code programmiere. Wer nennt mir den alten Code? Solch ein merkwürdiges Verfahren kenne ich nicht. Habe ich etwas übersehen? Ich probiere ein wenig die weiteren Schritte der Anweisung aus. Ohne den alten Code tut sich allerdings nichts. Dann muss eben der Service ran; ich telefoniere.

„Kommt sofort jemand." Zufrieden stelle ich fest, dass man mein Problem ernst nimmt. Dann wird es gleich gelöst sein. Tatsächlich erscheint nach einer Viertelstunde der Safe-Mechaniker. Er gibt den alten Code „1-2-3" ein. Jetzt leuchtet das Lämpchen neben „Batterie schwach" auf.

„Geben Sie mir fünf Minuten!", sagt der Servicemensch und verschwindet.

Natürlich, er wird frische Batterien holen. Pünktlich taucht er auf, montiert das neue Batteriepack und schraubt den Deckel zu. Immer noch zeigt die rote Leuchtdiode zu schwache Batterien an. Der Haustechniker stutzt und schraubt alles wieder auf. Ich schaue ihm über die Schulter und sehe, dass mindestens eine der alten Batterien ausgelaufen war.

Der Techniker hat offensichtlich die gleiche Idee wie ich; er befreit die Kontakte von ausgelaufener Batteriesäure und den Metalloxyden, setzt alles wieder zusammen und verschraubt. Ergebnis: Eine rote Leuchtdiode signalisiert Fehlfunktion. Aber so leicht ist ein gewiefter Techniker nicht in Verlegenheit zu bringen.

„Geben Sie mir zehn Minuten!", erhöht er sein persönliches Zeitdispo und verschwindet, ohne mein Einverständnis abzuwarten.

Es scheint sich um eine komplizierte Ersatzteilbeschaffung zu handeln. Ich beginne derweil meine Bartpflege mit Nassrasur.

Nach fünfzehn Minuten erscheint der Mechaniker. Er wechselt dieses Mal die ganze Halterung für das Batteriepack aus. Geschafft, denke ich, denn das blockierte Gestänge löst sich, und er kann die Tür schließen. Ich soll es selbst probieren. Soweit klappt es auch bei mir.

„Bitte rufen Sie meinen Chef unter ‚155' an und sagen Sie ihm, dass das Problem gelöst ist."

Ich gehorche. Wer will sich schon mit dem Personal anlegen, zumal mit dem technischen?

„Hallo? Hier Zimmer Nr. 603. Das Problem mit dem Safe ist immerhin zur Hälfte gelöst. Er lässt sich jetzt mit Code 1-2-3 schließen. Aber meinen persönlichen Code nimmt er nicht an", teile ich dem Chef mit. In der einen Hand halte ich den Telefonhörer, in der anderen den Rasierapparat, der Bart ist bereits eingeschäumt.

„Geben Sie mir bitte den Techniker", klingt es vom anderen Ende der Leitung nicht mehr ganz so freundlich. Nach dem Gespräch mit seinem Chef – ich widme mich wieder meiner Rasur – bittet der Techniker erneut um zehn Minuten. Das stört mich nicht, denn der Bartpflege kann ich ein gerüttelt Maß Zeit widmen. Dieses Mal erscheint der Mechaniker mit einem neuen Schlüssel. Aha, denke ich, wenn die störanfällige Elektronik versagt, muss die einfache mechanische Lösung her. Kaum hat er das Schlüsselloch vom Klebestreifen befreit, fordert er mich auf, den Safe mit dem Schlüssel abzuschließen. Ich stecke den Schlüssel hinein, kann ihn aber nicht drehen.

„Sorry, das ist wohl der falsche Schlüssel." Ich halte ihm den Schlüssel hin. Jetzt fühle ich mich schuldig: Habe ich vielleicht was falsch gemacht? Den indischen Schließmechanismus in meiner europäischen Unwissenheit zerstört?

Der Mechaniker glaubt mir nicht, dass der Schlüssel nicht passt, und versucht es selbst – vergebens. Schweigend verlässt er das Zimmer, weder um fünf noch um zehn noch um fünfzehn Minuten bittend. Ich widme mich der zeitraubenden Prozedur des Bartstutzens.

Nach zwanzig Minuten erscheint der Haustechniker mit seinem Chef. Ich beteilige mich nicht mehr an ihren Aktivitäten. Vielleicht haben sie einen Rohling mitgebracht und feilen nun in mühsamer Handarbeit einen neuen Schlüssel zurecht.

Inder sind improvisationsfreudig, habe ich gelernt. Bartpflege ist eine gute Beschäftigung, um dem indischen Anspruch auf Geduld gerecht zu werden.

Endlich kann ich den Safe abschließen – zwar nicht mit meinem persönlichen Code, aber mit meinem persönlichen Schlüssel.

Inzwischen hat Xenia das Vertrauen in die indische Sicherheitstechnik verloren. Sie weigert sich, ihre Barschaft dem Safe anzuvertrauen: „Wer weiß, wie viele persönliche Schlüssel es zu diesem Safe gibt! Dann laufe ich lieber mit dem Geld in meiner Handtasche herum und presse sie ganz dicht an meinen Körper."

Ich werde also beim abendlichen Spaziergang ihr persönlicher Bodyguard sein und die Umgebung ständig auf mutmaßliche Taschendiebe überprüfen müssen. Ob ich viel von der Stadt mitbekommen werde?

Beim Abendessen erzählen uns die Tischnachbarn eine interessante Geschichte – über ihren Safe, der nicht funktioniert.

Wo die Karawane
durch die Wüste zog

Ich bin enttäuscht. Man hatte uns Wüste versprochen. Wüsten kenne ich noch nicht, ich stelle mir endlose Sanddünen vor. Mit Kamelkarawanen.

Wir haben die Arvalli-Berge hinter uns gelassen und sind in das Shekhawati-Gebiet am Rand der Wüste Thar vorgedrungen, nach Mandawa. Unser Wüstenhotel liegt außerhalb des Ortes.

Und was sehe ich? Eine fast ebene, eintönige, trockene, staubige Landschaft, soweit das Auge reicht. Aber keine Sanddünen. Wir steigen aus dem Bus, und ich sehe immer noch ein paar Bäume. Vertrocknet, struppig und halbkahl stehen sie isoliert in der Landschaft.

„Dort beginnt die Wüste Thar", sagt Sunny und zeigt in das staubige Nichts. „Dies ist keine Sandwüste. Sie sieht anders aus als die Sahara."

„Was haben denn Bäume in der Wüste verloren, selbst wenn sie schäbig und verkrüppelt sind?", meckert Xenia. Innerlich gebe ich ihr Recht. „Wir müssen tolerant sein", versuche ich Xenia zu besänftigen. „Sunny verlangt Aufgeschlossenheit von uns. Wir müssen die Wüste Thar halt in ihrem halbwüsten Charakter akzeptieren. Vielleicht blicken die anderen Wüsten verächtlich auf die Thar herab: ‚Du bist keine richtige Wüste.' Und verstoßen sie aus dem Kreis der anerkannten Wüsten. – Außerdem sind wir erst am Rand der Wüste. Oder möchtest du Sanddünen, die nur für Touristen aufgeschüttet wurden?"

Sunny unterbricht unseren Wortwechsel und zeigt auf einen kleinen Berg: „Da oben ist Ihr Hotel."

„Hotel?", fragt Xenia mich. „Ich sehe nur einen Haufen zusammengeklumpte runde Lehmhütten."

Sie scheint schlecht gelaunt zu sein. Oder ist es die Hitze, die ihr aufs Gemüt schlägt?

Ich sollte sie aufmuntern. „Mich erinnern sie an eine Festung – einsam auf dem Hügel thronend. Und für Lehmhütten sind sie ganz schön groß. Jedenfalls kommt bei mir jetzt so was wie Wüstengefühl auf."

Man weist uns eine Hütte zu, der wir uns neugierig nähern. „Die sind richtig massiv, nur mit Lehm verkleidet. Bloß das Dach besteht aus Palmwedeln. Zumindest sieht es so aus. Und kuck mal, hier sind interessante Zeichnungen außen an den Wänden: Bäume, Vögel und Menschen – alles mit dünnen weißen Strichen in den dunklen Lehm geritzt", rede ich weiter auf Xenia ein.

Sie bleibt skeptisch: „Ich hoffe, dass die Wände stabil sind und uns nachts keine Kojoten oder Hyänen oder was für wilde Tiere auch immer heimsuchen."

„Bengalischer Tiger wäre echt ein Erlebnis", fällt mir dazu ein.

Xenia sieht mich streng von der Seite an: „Willst du mir Angst machen?"

„Nein, nein. War nur so eine Abschweifung. Die sind so gut wie ausgestorben. Und halten sich sowieso nicht in der Wüste auf."

Erleichtert nimmt Xenia ihr Gepäck. Als wir unsere Hütte betreten, müssen wir uns zuerst an die Dunkelheit gewöhnen. Die Fenster sind mit Holzläden verschlossen.

„Ah, Fenster ohne Glasscheiben", sage ich. „Da kann sich keine Wärme stauen."

Xenia mustert wortlos den Raum. Rund, mit unterschiedlichen Ebenen, beinahe ohne Möbel. Was? Kein Schrank? „Wo soll ich denn meine Kleider aufhängen?", fragt Xenia trotzig. An der Innenwand führen zwei dreistufige Treppen zur unteren Ebene, wo in der Mitte zwei Betten stehen. Ich entdecke mehrere Lehmbänke, die direkt in die Wand übergehen.

„Leg doch deine Klamotten hier auf die Bank", schlage ich vor.

Xenia betrachtet die weißen Ornamente an den Wänden. Sie erinnern mich an Felsmalereien. Gibt es in der Sahara nicht ähnliche?

Auf der oberen Ebene über dem Kopfteil der Betten können wir unsere Koffer abstellen. Ich bin neugierig, was sich hinter der Tür am Fußende der Betten verbirgt, und öffne sie. Ein hell erleuchtetes, modernes Badezimmer. Man überlässt uns also doch nicht dem Lebensstil der Lehmhüttenbewohner. Damit erübrigt sich die Frage nach der Latrine.

„Wirklich gelungen", meint Xenia. „Ein guter Architekt. Er hat die Synthese gefunden zwischen den Bedürfnissen der Touristen nach einem gefliesten Badezimmer und den traditionellen Lehmbauten."

Xenia akzeptiert also das Hotelzimmer. Gott sei Dank! Sie hat Frieden mit unserer Unterkunft geschlossen – es kann eine ruhige Nacht geben.

Am anderen Tag stehen die Havelis von Mandawa auf unserem Programm. Das sind ehemals prachtvolle Häuser reicher Kaufleute an einer Karawanenroute.

„Warum sind die Havelis verfallen?", fragen wir Sunny, als wir durch die überwiegend verlassenen Straßen der Ortschaft gehen.

„Ganz einfach: Als die Eisenbahnen gebaut waren, verloren die Karawanen ihre Funktion und die Kaufleute die Quelle ihres Reichtums", antwortet Sunny. Das leuchtet ein.

„Und warum sehen einige wieder wie neu aus?"

„Die Regierung des Bundesstaates will den Tourismus fördern, damit die Leute Einkünfte haben. Von der Landwirtschaft können sie hier nicht leben. Also fördert man die Restaurierung der Häuser und verpachtet sie dann an Familien."

Ein Großteil der Ortsbewohner heftet sich an unsere Fersen. Sie hoffen auf einen bescheidenen Verdienst, den man ihnen vom Tourismus versprochen hat. Sie schreien laut durcheinander, versuchen sich gegenseitig zu überbieten. Wir ergreifen die Flucht und sammeln uns um Sunny. Den erkennen unsere Verfolger offenbar als unseren Boss an. Jetzt ist Vortrag, und sie geben Ruhe.

Die Häuser sind außen bunt bemalt, mit Gottheiten, Elefanten, Erotika oder – Moment mal! – mit Eisenbahnen, eine lustige Mischung. Sogar Abbildungen von Europäern entdecke ich. Wollte man sie ironisch darstellen, oder war man stolz auf die Kontakte zur Außenwelt?

Ein vollbärtiger Reiter auf seinem reich geschmückten Pferd … das dürfte kein indischer Kaufmann sein. Aber daneben, der Mann mit hochgezwirbeltem Schnurrbart, mit großer turbanartiger Kopfbedeckung, blauem Beinkleid und wadenlangem, rot-weiß gestreiftem Gewand – darin ist unschwer der stolze Hausherr zu erkennen. Reichhaltige, feinziselierte, teilweise florale Muster umkränzen die Szene. Wenn die Kaufleute durch diese Hausbemalung mit ihrem Reichtum protzen wollten, dann ist es ihnen gelungen.

Durchs Tor betreten wir einen großzügigen Innenhof, um den Lager- und Empfangsräume gruppiert sind. Durch ein weiteres, kleines Tor gelangen wir in einen zweiten Hof, in den privaten Bereich.

Mit unserer Besichtigung tragen wir ein wenig zum Unterhalt der Familie bei, die jetzt hier wohnt und die keine reiche Kaufmannsfamilie mehr ist. Die Frau bäckt Fladenbrot für uns und reicht jedem Besucher eins. Bescheiden weist sie auf weitere Angebote hin: Postkarten, Bildbände, Kunsthandwerk, Textilien.

„Wir sollten ihr etwas abkaufen – allein schon wegen ihrer zurückhaltenden Art", flüstert Xenia. Wir einigen uns auf das Fotobuch über Rajasthan.

Ganesha
– schenk mir eine Elefantenhaut!

Wir erreichen mit dem Bus die Talstation von Fort Amber bei Jaipur, wo wir das Beförderungsmittel wechseln. Es geht von hier aus per Elefant hinauf zum Fort. Ich sorge mich: Wird mich der Elefant abwerfen? Schließlich kennt er mich nicht. Bei seinem Herrn ist er natürlich friedlich. Aber bei mir? Ich hätte mich vorher erkundigen sollen, wie oft es zu Unfällen mit Elefanten kommt. Schon vom Bus aus sehe ich die großen Tiere. Es wird ein böses Ende nehmen, deutlich schlimmer, als vom Pferd zu fallen. Ich hätte eine Elefanten-Versicherung abschließen müssen.

Andererseits vertrauen die Inder ihren Elefanten. Sonst hätten sie wohl kaum ihrem Gott Ganesha einen Elefantenkopf verpasst. Genau genommen waren es nicht die Inder, sondern einer ihrer Hauptgötter, nämlich Shiva. Eine interessante Geschichte, die uns Sunny erzählt: „Parvati will von ihrem Mann Shiva nicht immer beim Baden beobachtet werden; sie formt aus Lehm einen Wächter, dem sie Leben einhaucht und den sie Ganesha nennt. Der nimmt seinen Job sehr ernst und lässt Shiva auftragsgemäß nicht ins Bad. Shiva rast vor Wut und schlägt dem Wächter den Kopf ab. Erst jetzt erfährt er, dass Parvati den Toten erschaffen hat und als ihren Sohn betrachtet. Sie verlangt von ihrem Mann, Ganesha wieder zum Leben zu erwecken. Aber der Kopf ist hin. So schickt Shiva seine Diener los, die ihm den Kopf des erstbesten Lebewesens bringen sollen, das sie treffen. Es wird ein Elefant."

Und wir erfahren weiter: Heute steht der Glück bringende Gott Ganesha in jedem Hindu-Haushalt. Er bringt nicht nur Glück, sondern fördert auch Kunst und Gelehrsamkeit.

Die Ganesha-Figuren sehen sehr friedlich aus. Vielleicht benimmt sich mein persönlicher Ganesha während des Ritts ebenfalls friedlich.

Kaum bin ich aus dem Bus ausgestiegen, schallt es mir von allen Seiten entgegen: „Postkarten! Postcards! Vier Packs für 100 Rupien!", „Zwölf Elefanten nur 20 Rupien!", „Bildband auf Deutsch: Delhi, Jaipur, Agra!"

Ich sage nein und gehe weiter. Aber es nützt nichts. Buchstäblich auf Schritt und Tritt hält mir jemand etwas unter die Nase, mal ein Schulkind, mal ein Invalide. Sie lassen sich nicht abwimmeln. Muss ich jetzt alles kaufen? Geben sie erst Ruhe, wenn ich mein ganzes Geld in Postkarten, Bildbänden und Elefantenketten angelegt habe? Ich fürchte, nein. Sie würden im Tausch auch mein Hemd und meine Hose nehmen.

Einer Mitreisenden scheint der Preis für den Bildband günstig, und sie kauft ihn. Nun wird sie erst recht belagert. Sie hat *einmal* nachgegeben. Die anderen Verkäufer spekulieren: Die können wir weichkochen, wenn wir sie nur lange genug bearbeiten. Warum sollte sie nicht auch noch eine Miniaturmalerei oder ein T-Shirt kaufen?

Ich probiere verschiedene Tricks, um unbehelligt meinen Elefanten zu erreichen. Stur geradeaus blicken, nur kein Interesse zeigen. Dabei würde ich mir das kleine Schachspiel da drüben gerne näher ansehen. Vielleicht ist es ein passendes Geschenk für meinen Sohn. Aber bloß nicht nach dem Preis fragen. Wer nach dem Preis fragt, hat schon verloren.

Sich stur stellen, nützt nichts; von allen Seiten werde ich angeschrieen, die Händler versuchen mit allen Mitteln, meine Aufmerksamkeit auf sich und ihre Waren zu lenken.

Ich will jetzt brutal sein. Den nächsten Händler fixiere ich mit finsterer Miene – er zeigt sich unbeeindruckt. Und ich verstehe ihn sogar. Es gibt keine Arbeitslosenversicherung in Indien und kein Hartz IV. Wenn er überleben will, muss er täglich ein paar Sets Ansichtskarten verkaufen. Warum kaufen die reichen Touristen nicht seine Ansichtskarten, ohne die seine Kinder nichts zu essen haben? Aber mir dröhnt es in den Ohren. Und ich würde mich hinterher über die Kinkerlitzchen ärgern. Außerdem habe ich die fälligen Ansichtskarten für die Verwandtschaft schon geschrieben und verschickt. Ich sage erneut entschlossen: „No!"

Er lässt trotzdem nicht von mir ab.

Noch einmal – jetzt heftiger: „No!"

„Ten Rupees, sir!"

„Haben Sie nicht verstanden? Ich sagte: no!" Nur mühsam kann ich mich beherrschen, ihn nicht anzubrüllen. „Sind Ihre Ohren krank?", sage ich laut und deutlich verärgert.

Er scheint zu bemerken, dass es mir ernst ist. Aber er lacht freundlich: „Bleiben Sie entspannt", rät er mir.

Zynisch klingt das nicht. Er kann sich bestimmt nicht in meine Lage versetzen, nicht verstehen, wie viel Nerven es kostet, sich durch eine Gasse schreiender Verkäufer zu bewegen. Wahrscheinlich haben sie alle einen Kurs „Erfolgsorientiertes Marketing" absolviert. Für mich ist es ein verbales und emotionales Spießrutenlaufen. Hier bräuchte ich eine Elefantenhaut, um meine Seele zu schützen. Vielleicht sollte ich dem Elefantengott ein Opfer bringen, damit er mir diese Elefantenhaut schenkt. Oder wie anders kann ich dieses Elend und die Armut ignorieren? Jeden Anflug von Mitleid im Keim ersticken? Sonst bin ich den Händlern wehrlos ausgeliefert, und sie begleiten mich auf Schritt und Tritt. Man sagt: Nur im Slum ist man vor lästigen Verkäufern sicher. Hätte ich das geahnt, hätte ich eine Slum-Tour gebucht.

Versuch, die Händler zu ignorieren, sage ich mir. Verstopf dir die Ohren, blick durch sie hindurch, sei Buddha im Händlergetümmel, und lächle … andere schaffen das auch. Die Verkäufer sind Hindus. Sie tun keiner Kuh, keiner Fliege etwas zu leide – warum quälen sie hemmungslos Touristen? Ich weiß, sie wollen überleben, sie brauchen mein Geld.

„Man muss das verstehen", sagt unsere Wienerin in ihrem gemütlichen, charmanten Dialekt. „Sie arbeiten hart für ihr Geld. Das ist besser als das Arbeitslosengeld bei uns, das zur Faulheit erzieht."

Mir verschlägt es die Sprache: Will sie indische Rezepte gegen die faulen Arbeitslosen daheim anwenden? Plädiert sie für

Slums in Wien, damit dort Arbeitslose jede Drecksarbeit für ein paar Cent übernehmen? Es schwadroniert sich locker über Faulheit, wenn man einen Indien-Trip auf den Kreuzfahrturlaub in der Karibik folgen lässt.

Ich erreiche den Elefanten. Xenia und ich steigen eine Treppe hinauf und klettern über die Rampe in den Sitzkasten, seitlich zur Laufrichtung. Die Beine baumeln in die Tiefe. Glücklicherweise verhindert eine Stange vor unseren Bäuchen, dass wir hinausfallen. So sitzen wir beinahe wie in einem Kettenkarussell.

Der Fleischberg unter mir setzt sich in Bewegung. Mein Magen auch. Oder hat die Höhenangst ihren Ursprung im Gehirn? Vorsichtshalber rutsche ich in die Horizontale. Leider habe ich jetzt nur noch ein eingeschränktes Blickfeld. Jedenfalls werde ich hier oben auf dem Tier meine Ruhe haben. Denkste! Selbst auf dieser quälend langen Reit- und Schaukelstrecke – wie sich doch zehn Minuten dehnen können! – preisen einzelne Verkäufer ihre Waren an. Sie haben keine Chance; wer steigt schon von seinem Elefantenthron in luftiger Höhe, um unten Postkarten zu kaufen?

Plötzlich schallt es aufgeregt vom Felsen neben dem Weg: „Look here! Look here!"

Unwillkürlich blicke ich hin. Ach, natürlich: Fotos. Ich ziehe eine Grimasse. Er wird keinen Spaß an meinem grimmigen Gesicht finden. Niemand wird so ein blödes Foto kaufen.

Glücklicherweise scheut mein Elefant nicht, er verabschiedet mich auch nicht mit einer Ladung Wasser aus seinem Rüssel. Braves Tier! Ich klopfe ihm liebevoll auf die Schulter. Hast mich gut geschaukelt. Dir würde ich gern ein Bakschisch geben. Leider habe ich keine Bananenstaude dabei.

Nach der Besichtigung des Forts warten die Fotografen auf uns. Sie halten ihre Werke hoch. Xenia entdeckt mich auf einem Foto. „Toll, was für eine Grimasse du schneidest. Das muss ich unbedingt kaufen!" Schließlich kommt sie mit dem Foto zurück – und mit einer Kette, die acht kleine, bunte Elefanten miteinander verbindet. „Acht Ganeshas, das muss doch Glück bringen", sagt sie lächelnd, wenn auch ein wenig trotzig, denn sie weiß, ich hätte den Tinnef nicht gekauft.

Heute ist es in Jaipur bewölkt. Es sieht nach Regen aus. „Romantisches Wetter", sagt Sunny. Als er unsere verwunderten Gesichter sieht, erzählt er folgendes: „Endlich ist es einmal bewölkt und nicht so heiß. Da kann man einen Ausflug in die Berge unternehmen oder im Park picknicken. Man macht bei der Arbeit blau. Bei keiner anderen Gelegenheit wird so oft gelogen wie bei romantischem Wetter. Das junge Mädchen sagt zur Mutter: ‚Ich gehe shoppen.' In Wirklichkeit trifft sie sich heimlich mit einem jungen Mann außerhalb der Stadt."
Wir finden unser Wetter nicht sehr romantisch, obwohl es sich erfrischend abgekühlt hat. Jetzt gießt es in Strömen. Da kann das Stadtschloss mit dem Park noch so schön sein, im Regen wollen wir den Park mit dem berühmten Observatorium nicht besichtigen. Wir suchen einen trockenen Platz und finden einen Torbogen. Sofort sind Händler zur Stelle, die uns Schirme für drei Euro anbieten. Ein deutlich überhöhter Preis. Sie haben sich verspekuliert, wir warten einfach auf das Ende des Regens. Tatsächlich hört er nach einer halben Stunde auf. Die Händler zeigen enttäuschte Gesichter.
Als wir dann das steinerne Observatorium besichtigen, können wir die größte Sonnenuhr der Welt doch nicht auf Genauigkeit überprüfen: Der Himmel ist immer noch bewölkt.
Im Park unterhält Sunny uns mit einer Geschichte über den Maharaja von Jaipur: „Seine jüngste Tochter hatte sich in einen Taxifahrer verliebt und wollte ihn heiraten. Er stammte zwar aus der gleichen Kaste. Aber ein Taxifahrer erschien dem Maharaja nicht standesgemäß für seine Tochter. Also verbot er ihr die Heirat. Sie ließ sich jedoch nicht beirren und heiratete trotzdem ihren Liebsten. Darauf wurde sie von ihrem Vater verstoßen. Das tat ihm nach einigen Jahren leid. Er akzeptierte den Taxifahrer als Schwiegersohn und nahm seine Tochter

wieder auf. So wurde aus dem Taxifahrer ein Prinz. Alle jungen Taxifahrer Indiens träumen davon, ein Prinz zu werden."
Diese Geschichte enthält einerseits das traditionelle Märchen vom sozialen Aufstieg durch Heirat. Die US-amerikanische Version heißt „Vom Tellerwäscher zum Millionär". Gleichzeitig handelt die Taxifahrergeschichte von der romantischen Liebe, nach der sich alle jungen Inderinnen und Inder sehnen. Ich habe keine Erklärung gefunden für diesen frappierenden Gegensatz: sich nach der romantischen Liebe zu sehnen und gleichzeitig die arrangierte Ehe als Leitbild zu akzeptieren, sie der Liebesheirat sogar für überlegen zu halten.

Sunny zögert einen Augenblick, bevor er seinen eigenen Wunsch offenbart: „Übrigens habe ich mich erkundigt: Es gibt noch eine unverheiratete Maharaja-Tochter. Ich werde wohl nicht immer Reiseführer bleiben."

Also träumt er von einem Leben am Hofe, jenseits der Tourismusbranche.

„Aber dann laden Sie uns doch zu Ihrer Hochzeit ein – in den Palast, nicht wahr?", versuche ich ihn festzunageln und male mir in Gedanken das prachtvolle Büfett aus.

„Natürlich", sagt Sunny und lächelt versonnen. Er wird noch reichlich strahlen müssen, bis die Maharaja-Tochter dahinschmilzt.

Für den berühmten Palast der Winde in Jaipur, den ich von einem Buchtitel kenne, reicht es am anderen Morgen nur zu einem kurzen Fotostopp. Sunny kann nicht verbergen, dass es sich um eine bloße Fassade handelt, wenn auch fünfstöckig und reich verziert. Hinter den steinernen Gitterfenstern mit ihren ornamentalen Mustern, den Jaalis, durften die Frauen das Geschehen auf der Straße verfolgen. Sie selbst konnten von außen nicht gesehen werden. Die Jaalis sind merkwürdige Fenster für mich: Sie lassen eine kühle Brise durch die Räume streichen, schirmen die Blicke der Vorübergehenden ab und halten die Frauen gefangen.

Die Spur des Tigers

Tiger-Reservat nennt sich der Sariska-Naturpark. „Mit ein wenig Glück können Sie den bengalischen Tiger erleben", lockt das Faltblatt.

Wir übernachten im Jagdschloss des Maharajas. In dem hohen, großen und gut ausgestatteten Zimmer fühlen wir uns wie Maharaja und Maharani und schlafen auch so.

In der Morgendämmerung – vor dem Frühstück! – brechen wir zu einer dreistündigen Fahrt durch den Park auf. Auf dem Jeep ist es recht frisch. Fast zu frisch, ich vermisse ein Verdeck und könnte gut eine Jacke gebrauchen. Aber so – ohne Verdeck – sehen wir die Tiere besser. Xenia genießt die Frische, die der Boden jetzt am Morgen verströmt. „Wie damals im Kibbuz", sagt sie.

Ein Maharaja nutzte dieses Gebiet als sein Jagdrevier. Das tat er mit solcher Leidenschaft, dass nur wenige Tiger überlebten.

Am Rand des Weges stehen ein paar kleine Hirsche mit weißen Punkten, die der Führer „Chitals" nennt (bei uns: Axishirsch). Sie stehen dort, weil sie aufs Essen warten, sagt der Parkwächter. Oben im Baum futtern Languren-Affen. Die verhalten sich sehr wählerisch bei ihrer Nahrung, was ihnen nicht gefällt, das lassen sie einfach fallen. Und unten bedienen sich die Chitals wenig wählerisch an diesen Krumen, die vom Tisch der Affen purzeln. Fast eine Symbiose. – Plötzlich sitzen ein paar Languren-Affen mitten auf dem schmalen asphaltierten Weg. Schon von weitem fällt mir das schwarze Gesicht auf, das von einem weißen Haarkranz umgeben ist. Der Schwanz – länger als Kopf und Rumpf – liegt quer über der Fahrbahn. Nur widerwillig lassen sie uns passieren. Wie selbstverständlich betrachten die Tiere das Reservat als ihren Besitz. Sie haben keine Angst vor den Menschen.

Im offenen Grasland erkennen wir die Rebhühner kaum, sie haben sich mit ihrem Federkleid perfekt an die Farbe des trockenen Grases angepasst. Dagegen heben sich zahlreiche Pfauen wie leuchtende Flecken vom Gras ab. Sie wenden mehr gelangweilt als beunruhigt den Kopf, wenn wir uns nähern.

„Wildschweine können wir auch auf Berliner Straßen bewundern", mäkelt Xenia; sie besteht auf exotischen Tieren.

Aber schon weist uns der Parkführer auf Nilgauantilopen am Waldrand hin.

„Nilgau? Sind die aus Ägypten?", wundere ich mich laut. Ein Mitreisender weiß Bescheid: „Nein, das ist ein Hindi-Wort und bedeutet soviel wie Blaubock."

Merkwürdig, blau sehen diese Antilopen nicht aus. An einer Wasserstelle halten wir an. Der Führer zeigt auf den kleinen See.

„Unglaublich, da schwimmen tatsächlich zwei Sumpfkrokodile – in freier Wildbahn", murmelt Xenia.

Ich hatte sie zunächst nicht gesehen, aber jetzt kann ich sie erkennen. Sie liegen ruhig im Wasser und lassen sich von den ersten Sonnenstrahlen wärmen.

Wir steigen wieder auf den Landrover und fahren zum Ausgangspunkt zurück. An einer Kreuzung hält das Auto an. Unser Führer zeigt aufgeregt auf eine saubere Sandfläche: „Tiger! Vier Jahre ist sie jetzt alt. Ein Weibchen!", sagt er stolz.

Tatsächlich, eine Fährte. Ich betrachte sie näher. Der Abdruck im Sand sieht dem im Faltblatt verblüffend ähnlich. Aber woran erkennt man das Alter und das Geschlecht?

Neben mir murmelt ein Mitreisender: „Wer's glaubt, wird selig. Die Tiger sollen hier seit ein paar Jahren ausgestorben sein, stand im Internet. Die Inder haben Angst, dass viele Touristen wegbleiben. Sie stempeln uns einen Abdruck in den Sand."

Xenia glaubt an die vierjährige Tigerin, die es noch geben soll. Den Kadaver am Wegrand wertet sie als Beweis dafür, dass das Raubtier Tag und Nacht damit zu tun hat, den Tierbestand zu dezimieren.

„Besser so", sagt Xenia, „als wenn sie die Touristenbestände dezimieren wollte."

Das Taj Mahal
– eine Träne auf der Wange der Zeit

Plötzlich kippt Herr Dr. Wulfinger, ein älteres Mitglied unserer Reisegruppe, nach hinten und wird bewusstlos.

„Das musste ja so kommen", jammert seine Begleiterin, „er hat trotz des Durchfalls zu wenig getrunken, obwohl er es als Arzt besser wissen müsste. Bloß, weil er nicht ständig aufs Klo wollte. Und jetzt haut ihn der Hitzschlag um."

Wir alle sind besorgt und haben bei der Hitze das Gefühl, es könnte jeden von uns erwischen. Herr Wulfinger erholt sich langsam.

Natürlich bin ich gespannt auf das Taj Mahal, das Mausoleum aus Marmor, ein Wahrzeichen Indiens, Teil des Weltkulturerbes, Höhepunkt jeder Indienreise. So wird es angepriesen. Oft bin ich von solchen Vorschusslorbeeren enttäuscht. Es soll so ähnlich aussehen wie unser Berliner Taj Mahal: die Grünanlage auf dem zugeschütteten Luisenstädtischen Kanal mit dem Blick auf die Sankt-Michael-Kirche. Im Wasser des Engelbeckens spiegelt sich die Kuppel der Kirche mit dem Erzengel. Auch ein indischer Brunnen ziert die gestreckte Grünanlage. Ob das Taj Mahal mithalten kann?

Wir bekommen von Sunny eine kleine Einführung. Dann dürfen wir alleine auf Entdeckungstour gehen. Als ich mich mit dem Touristenstrom durch das Eingangstor schiebe, leuchtet mir der weiße Bau in der Sonne entgegen. In der Mitte thront die große, von Prospekten und Katalogen bekannte Kuppel, deren Umriss einen arabischen Hufeisenbogen bildet. – Das gewaltige Eingangsportal über mir muss tief gestaffelt sein, einen eigenen Raum bilden, denn der Rand wirft einen Schatten hinein.

Vier Minarette flankieren das Mausoleum. Das Taj Mahal spiegelt sich in einem langen Wassergraben, der von einem Garten eingerahmt wird – in der persisch-arabischen Architektur ein Abbild des Paradieses. Oh, das ist doch etwas anderes als der kleine, tiefer gelegte Park vor unserer Sankt-Michael-Kirche.

Je näher ich komme, desto mehr erhebt sich der Bau auf dem Sockel vor mir. Ein großes, zweistöckiges, leicht spitzbögiges Portal lädt genau in der Mitte ein. Es ist von einem rechteckigen, den eigentlichen Bau etwas überragenden Rahmen umgeben. Genauso sind vermutlich die anderen vier Seiten gestaltet. Und die vier Ecken wirken wie abgeschnitten, so dass statt der Ecke eine Fläche die rechtwinkligen vier Hauptseiten verbindet. Diese Fläche bietet zwei übereinander gestapelten Öffnungen nach dem Vorbild des Portals Platz. Und oberhalb dieser schrägen Seitenflächen verstecken sich kleine, überkuppelte Pavillons: Chattris, Merkmal der hinduistischen Architektur. Der Mogul-Herrscher nimmt sich die Freiheit, für sein muslimisches Grabmal auf das Chattri zurückzugreifen. An den Minaretten, an der Kuppel, am leichten Spitzbogen (bei der Hauptkuppel mit der Tendenz zur Zwiebelform) ist das Taj Mahal ohnehin als muslimisches Bauwerk zu erkennen.

Auf einem ursprünglich wohl quadratischen Grundriss steht jetzt ein achteckiges Gebäude.

Sind es die Proportionen, ist es die Symmetrie, der in der Sonne glänzende Marmor, die es als perfektes und zugleich atemberaubend schönes Bauwerk erscheinen lassen? Ich bin ergriffen und ergreife Xenias Hand. Immerhin ragt vor mir die schönste Liebeserklärung der Welt auf.

Ich erinnere mich: Der Mogul-Herrscher Shah Jahan verzehrte sich vor Gram, als seine Lieblingsfrau Mumtaz Mahal 1631 starb. Er beschloss, dem Andenken seiner Geliebten einen Prachtbau, eine Grabmoschee, zu widmen. Bis zu 20.000 Menschen haben gleichzeitig am Taj Mahal gearbeitet. Ihre Versorgung überforderte das Reich, es kam zu Hungersnöten. Und die achtzehnjährige Ausplünderung der Staatskasse für den

Prunkbau löste Revolten aus. Der Sohn des Herrschers soll seinen Vater abgesetzt und inhaftiert haben, als jener auch für sich selbst ein prachtvolles Mausoleum errichten wollte, diesmal in Schwarz.

Schon vor dem gewaltigen, 100 Meter mal 100 Meter großen Marmorsockel müssen wir unsere Schuhe ablegen.

„Ob sie geklaut werden?", vertraue ich Xenia meine Bedenken an. In dem Film „Slumdog Millionaire" verdient sich ein armer indischer Junge etwas Geld damit, dass er vor dem Taj Mahal edle Schuhe der Touristen entwendet.

„Na", meint Xenia, „für deine Treter würde Slumdog nicht einmal eine Suppe bekommen. Hoffentlich verschwinden sie. Dann müsstest du dir endlich mal neue kaufen."

Ich bin beleidigt, schließlich haben meine Sandalen einen historischen Wert: Vor 31 Jahren hatte ich sie mir auf Kreta von einem Schuster schnitzen lassen.

Am meisten beeindrucken mich die feinen Blumen, die oben über den großen Bögen – vielleicht in vier Metern Höhe – im Marmor eingelassen sind. Was für eine handwerkliche und künstlerische Fertigkeit, erst zierliche farbige Pflanzenteile und Blüten aus bunten Steinen zu meißeln, dann genau den Freiraum für diese Stückchen aus den Marmorblöcken herauszuschlagen und schließlich die Gewächse in den Stein einzupassen. Es sieht aus, als wäre der Marmor mit den Mustern gewachsen. Hier, vor dem Taj Mahal, halte ich diese – Pietra dura genannte und aus dem Florenz der Renaissance stammende – Technik für großartiger als das Mosaiklegen.

Wir reihen uns ein in die lange Schlange der Wartenden. Das Taj Mahal ist kein religiöser Wallfahrtsort. Trotzdem wollen Inder und Touristen aus aller Welt einmal um den Sarkophag von Mumtaz Mahal gehen, genau wie muslimische Pilger den schwarzen Stein in Mekka umrunden.

So atemberaubend das Gebäude von außen auf mich wirkt, so verblüffend empfinde ich das Innere. Zwei leere Sarkophage stehen in der Mitte unter der Kuppel. Ein Gefühl der Sinnlosigkeit beschleicht mich. Wenn das Taj Mahal eine Liebeserklärung ist und für das Aufbäumen gegen den Tod steht, dann zwingt das Innere zur Verneigung vor den Gräbern, zur schweigenden Anerkennung der Macht des Todes.

Auf dem Weg zurück durch die Gartenanlage überwältigt mich ein magisches Gefühl, als ich noch einmal auf das Marmor-Mausoleum zurückblicke. Ich falle vor Xenia auf die Knie, ergreife ihre Hand und stammele: „Willst du meine Mumtaz Mahal werden?"

Xenia kreischt auf: „Du machst mir einen Heiratsantrag? Hier, an dieser heiligen Stätte der Liebe?"

Noch ehe sie antwortet, drückt sie einem Inder ihre Kamera in die Hand und bittet ihn, meinen Kniefall festzuhalten. „Schade, dass ich deinen Antrag nicht auf einer Tonspur dokumentieren kann; du könntest es dir es ja noch anders überlegen. – Übrigens …", sie sieht mich plötzlich sehr ernst an, „… du musst dich jetzt von allen anderen Frauen lossagen. Wir leben nicht mehr in der Zeit Shah Jahans."

Als wir die Anlage verlassen, schwindet die magische Wirkung. „Wie komme ich da wieder raus?", frage ich mich besorgt. Vorsichtshalber sollte ich den Fotoapparat im heiligen Fluss Ganges versenken, auch wenn es um die schönen Fotos schade ist. Ach, an den Ganges komme ich gar nicht mehr, ich muss mich mit der Yamuna hinter dem Taj Mahal zufrieden geben. – Pah, sie hat meinen Antrag gar nicht beantwortet! Glück gehabt!

Trotzdem bin ich noch immer ergriffen. Ja, auch ich halte das Taj Mahal für eines der schönsten Bauwerke der Menschheit, für ein Dokument unvergänglicher Liebe, für ein Aufbäumen gegen Endlichkeit und Tod. Oder, wie es der bengalische Dichter und Nobelpreisträger Rabindranath Tagore beschrieb: „Eine Träne auf der Wange der Zeit".

Auch wenn das Taj Mahal ein muslimisches Bauwerk ist, muss ich an meine erste Begegnung mit dem Buddhismus zurückdenken, mit der spirituellen Welt des Ostens.

Nach meiner Flucht aus Puna hoffte ich, wahre Erleuchtung in dem buddhistischen Kloster Kopan bei Kathmandu zu finden. Die Unterkunft war billig. Ich erhob mich jeden Morgen um halb sechs von meiner Schlafstatt und meditierte zwei Stunden in der Bibliothek mit den erhellenden Schriften. Erst dann versammelten sich die zahlenden Klostergäste zum Frühstück. Bei der Meditation sollte ich mich auf mein Inneres konzentrieren und dort mein Ich suchen. Aber ich fand wenig. War mein geistiges Ich noch ein Kind?, fragte ich mich.

Ganz hatte ich Puna nicht vergessen. Ich hielt mich gern im Gebetssaal auf, weil es hier keine Geschlechtertrennung gab. Das strenge Ritual der Mönche ließ mir allerdings keine Zeit für intensive zwischenmenschliche Begegnungen über geistlichen Austausch hinaus. Trotzdem hat sich das Mantra von Avalokiteshvara „Om mani padme hum" tief in meine Seele gebrannt.

Nur die ständigen Hochzeiten unten im Dorf störten mich, sie waren stets von erheblichem musikalischem Lärm begleitet. Und warum durften Kinder im Mönchsgewand mit Maschinenpistolen herumlaufen? Allmählich fiel mir das Geklapper der Gebetsmühlen auf den Wecker; ich wachte auf und sagte dem Klosterleben ade.

Der Affe auf dem Dachgarten

„Lass uns mal ganz nach oben fahren", schlägt Xenia vor. „Dort werden wir bestimmt einen tollen Ausblick auf Agra haben. Vielleicht gibt's auch einen Kaffee."

Zum Abschluss unserer Rajasthan-Rundreise logieren wir in Agra in einem Hotel, das sich selbst als luxuriös lobt.

Als wir den Dachgarten betreten, versucht Xenia gleich, das Taj Mahal zu orten. Mein Blick fällt zunächst auf die umherstehenden Tische und Stühle. Merkwürdig: ein Dachgarten als kleines Café – aber ganz ohne Gäste? Halt! Am Rand hockt mitten auf dem Tisch ein Affe.

„Sieh mal, da ist noch ein Gast." Ich zeige Xenia das Tier. Es beobachtet uns aufmerksam.

„Ob man den streicheln kann?" Xenia ist unsicher.

Man hatte uns vor den Affen gewarnt. An Orten mit vielen Touristen würden sie sich aufdringlich benehmen und um Essen betteln. An einer Schule musste der Unterricht abgebrochen werden, weil Affen in den Raum eingedrungen waren. Und Xenia hatte es in Gibraltar selbst erlebt, dass ihr ein Affe einen Keks aus der Hand riss.

Ich gehe langsam zwei Schritte auf den Affen zu.

„Stopp!", sagt eine Stimme hinter mir. Ich drehe mich um. Die Serviererin steht in der Tür zur Küche. „Gehen Sie nicht zu ihm. Er ist aggressiv. Er glaubt, Sie wollen ihm sein Essen wegnehmen."

„Welches Essen?", frage ich, weil ich keinen Teller auf dem Tisch sehe.

„Er isst die Erdnüsse aus dem Becher. – Warten Sie, ich hole den Koch."

Xenia sieht mich erschrocken an: „Die wollen ihn doch nicht schlachten und dann den Gästen vorsetzen?"

„Nein", beruhige ich sie, „ich habe noch nichts davon gehört, dass man in Indien Affenfleisch isst – erst recht nicht in noblen Hotels. Außerdem sind sie an manchen Orten heilig."

Der Koch betritt den Dachgarten mit einem Stuhl und geht langsam auf den Affen zu. Dabei hält er den Stuhl waagrecht vor sich, so dass die vier Beine wie Spieße wirken. Der Affe springt auf das Geländer am Rande des Dachgartens.

Xenia schreit leicht auf: „Er wird in die Tiefe fallen."

„Keine Sorge, Madam", sagt der Koch. „Er ist ein guter Kletterer. Aber er verhält sich sehr aggressiv gegen unsere Gäste. Wir müssen ihn immer wieder vertreiben."

Er stößt den Stuhl ruckartig nach vorn, als wollte er zum Angriff auf den Affen übergehen. Der greift nach der Dachkante, zieht sich hoch und verschwindet nach oben.

„Wo kommt er her?", fragt Xenia den Koch.

„Er lebt auf dem Dach, und manchmal holt er sich hier etwas zum Essen. – Gehen Sie lieber nach unten. Vielleicht kommt er wieder."

„Trotzdem bleibt mir schleierhaft, wie der Affe auf das Dach des Hotels gelangt ist", sage ich im Fahrstuhl zu Xenia.

„Ist mir eigentlich egal", antwortet sie, „Hauptsache, er hat mir meine Armani-Brille nicht geklaut."

Hindu-Nationalisten, Congress Party und Dritte Front

Indien steht vor vierwöchigen Parlamentswahlen. Mich interessiert sehr, ob die Hindu-Nationalisten der BJP Stimmen gewinnen werden und sie das Klima zwischen Hindus und Moslems weiter verschärfen können. Varun Gandhi, ein vom Nehru-Clan verstoßener Spross und Enkel Indira Gandhis, versucht jetzt seine politische Karriere als Rechtsaußen bei den Hindu-Nationalisten. Wegen einer Hassrede wurde er inhaftiert. Trotzdem hält die Partei an ihm als Wahlkandidaten fest.

„Wer ist diese Dritte Front, von der in den Zeitungen die Rede ist?", will ich von Mark wissen.

„Ein linkes Parteienbündnis. Sie könnten das Zünglein an der Waage sein, wenn der Congress und die BJP gleich stark werden. Innerhalb der Dritten Front macht sich Mayavati, die Ministerpräsidentin des Bundesstaates Uttar Pradesh, sogar Hoffnung auf den Posten der

Premierministerin. Sie war als Vertreterin der Unberührbaren, der Dalits, aufgestiegen."

„Und wie gelang den Hindu-Nationalisten ihr Aufstieg?", frage ich.

„Die muslimische Eroberung großer Teile Indiens schmerzt immer noch viele Hindus. Auch in jüngster Zeit flammen wieder religiöse Kämpfe auf, die von Politikern ausgenutzt werden. Die Hindu-Nationalisten haben zudem mit vollmundigen sozialen Versprechungen Stimmen bei den Armen gewonnen."

Ich verstehe: „Aha. Dann hat die Congress Party dazugelernt: In ihrem Wahlprogramm verspricht sie allen Armen 25 Kilo Reis für praktisch umsonst. Stand in der Zeitung."

Mark zuckt die Achseln: „Alle versprechen allen alles. Nach der Wahl denkt keiner mehr daran. Vielleicht hat diesmal Arbeit den Ausschlag gegeben. 100 Tage Arbeit im Jahr zum Mindestlohn, das versprach der Congress seinen Wählern. Für 45 Millionen setzten sie es um. Mehr als ein Tropfen auf den heißen Stein."

Nach unserer Reise erfuhr ich vom Sieg der Congress Party. Immerhin wurde die Schulpflicht bis zum 8. Schuljahr eingeführt. Selbst wenn man Zweifel an der schnellen und konsequenten Umsetzung hegen darf, ist schon das Gesetz an sich ein großer Fortschritt für Indien und seine Kinder.

Ran ans Geld!

Unser erstes indisches Geld, mit dem uns Vera versorgt hat, ist aufgebraucht.

„Kein Problem", sagt Vera. „Wenn ihr die Hauptstraße erreicht, wendet ihr euch nach links und überquert sie. Immer geradeaus lauft ihr direkt auf den Geldautomaten zu."

Ich traue mich nicht zu fragen, ob es gefährlich ist, Geld abzuheben. Vera bewegt sich wie selbstverständlich in ihrer neuen indischen Umgebung.

Glücklicherweise steht der Automat nicht im Freien. Rund herum herrscht reger Betrieb. Ein paar Männer reparieren Autos auf offener Straße. Vor dem Raum mit der Geldquelle steht ein uniformierter Inder Wache, genauer: Er sitzt Wache. Ich überlege, ob er vielleicht unsere Ausweise oder unsere Scheckkarten sehen will. Aber nein. Er interessiert sich gar nicht für uns. Hoffentlich interessiert er sich für Diebe. Es muss ganz schön riskant sein, Geld abzuheben, wenn diese Aktion durch bewaffnete Kräfte gesichert wird.

Noch riskanter ist es für uns, weil die bewaffnete Kraft schläft. Drinnen arbeiten wir die Fragen auf dem Monitor einzeln ab und landen immer wieder im Aus. Irgendeine Frage haben wir wohl nicht richtig verstanden. Wieder und wieder beginnen wir von vorne. Nach einer anstrengenden Viertelstunde halten wir endlich unser Geld in den Händen. Wir haben das Gefühl, es uns hart erarbeitet zu haben.

„Müssen wir jetzt dem Wächter ein Bakschisch zahlen?", fragt die sparsame Xenia.

„Natürlich. Das gehört zu einer sicheren Abhebung. Sonst nimmt er uns alle Scheine gleich wieder weg."

Xenia überhört den Spott in meiner Antwort. Vorsichtig schiebt sie sich an dem Uniformierten vorbei und beäugt ihn misstrauisch, ob er nicht doch Bakschisch-Ansprüche erhebt. Er interessiert sich immer noch nicht für uns und schnarcht weiter.

Am vorletzten Morgen unserer Rundreise gestehe ich Xenia: „Mein Geld ist alle."

„Dann müssen wir abheben", sagt sie. „Ich habe auch nichts mehr."

Ich bitte unseren Reiseführer, unterwegs an einem Bankautomaten zu halten. Es ist mir sehr angenehm, die ganze Gruppe in der Nähe zu wissen. Da kann ich nicht überfallen werden. Aber Sunny scheint mich vergessen zu haben. Erst kurz vor dem Hotel lässt er anhalten und ruft den Bankautomaten aus. Erleichtert stürzen Xenia und ich hinaus. Inzwischen wissen wir einigermaßen, was wir auf die Fragen des Automaten antworten müssen. Und natürlich sind wir jedes Mal auf den aktuellen Kurs gespannt. Ist der Euro ein wenig fester geworden? Bekommen wir ein paar Rupien mehr für unser Geld?

Der Automat nennt allerdings keinen Wechselkurs, ja, er stellt noch nicht einmal eine Frage. An Geld ist erst recht nicht zu denken. Lapidar teilt er mit: Unterbrechung der Stromversorgung.

Enttäuscht verlassen wir den Raum. „Zähl mal dein Kleingeld, ob es noch fürs Wasser beim Abendessen reicht", bitte ich Xenia.

Sie zählt. „Ja, für Wasser reicht es, aber nicht für Wein. Die Kellner müssen ausnahmsweise auf Trinkgeld verzichten. Und das im nobelsten Hotel unserer Tour! Aber so lange wir nicht am Stehimbiss für einen Euro essen müssen, geht es."

Sunny versucht uns zu beruhigen: „Keine Sorge. Sie können morgen früh in der Nähe des Hotels abheben."

Wenn er uns wirklich hätte beruhigen wollen, dann hätte er uns seinen Begleitschutz angeboten. So blicken wir sorgenvoll unserem schweren Gang entgegen.

Am anderen Morgen sieht die freundliche Angestellte an der Rezeption keine Probleme: „Sie gehen einfach rechts um die Ecke und dann immer geradeaus; höchstens einen Kilometer."
– „Danke."

Fröhlich ziehen wir los. Die Luft riecht ungewohnt frisch nach dem gestrigen Regen.

Der Wind hat viele trockene Blätter abgerissen. Eine Frau fegt das Laub mit einem Reisigbesen zusammen. Sie zündet mehrere Laubhaufen an. Es qualmt. Uns wirft sie einen misstrauischen Blick aus dunklen Augenhöhlen zu. Ist man hier von Witwenverbrennungen zu Touristenverbrennungen übergegangen?

Sie lässt uns unbehelligt passieren. Ich gehe schnell weiter. Vielleicht wartet sie nur, bis wir mit Geld zurückkommen. Sonst begegnet uns keine Menschenseele. Aber wer weiß, wer sich hinter dem Gemäuer oder hinter den Büschen verbirgt!

Der Weg zum Geld dehnt sich. Wir sind bestimmt schon zwei Kilometer gelaufen; Touristen scheinen sich nicht hierher zu verirren, geschweige denn ein Polizist. Aus den Augenwinkeln beobachte ich vorbeifahrende Radfahrer.

„Nimm deine Tasche auf die andere Seite, sonst können die Radfahrer sie dir wegreißen", rate ich Xenia und wechsle auf ihre gefährdete Seite. Das gehört sich so für einen Gentleman, auch wenn er sein eigenes Leben aufs Spiel setzt.

„Du hast in der Tanzstunde aufgepasst", spottet Xenia. Wenn plötzlich zwei Inder sie in ein Auto zerren, vergeht ihr das Spotten. Dann ist wieder der Ritter gefragt und angstgeweitete Augen erflehen meinen Schutz.

Langsam kommen wir wieder in eine bewohnte Gegend. Da! Ein Bankschild. Leider lungern Gestalten vor dem Gebäude herum, die scheinbar nichts zu tun haben, die nur auf harmlose Touristen warten. Kein Security-Mitarbeiter sichert die Tresore. Wir müssen zwei gesperrte Türen mit der Chipkarte öffnen. Endlich nähern wir uns dem Allerheiligsten, das nur wenige, mit einem virtuellen Goldschatz Gesegnete betreten dürfen. Und natürlich auch diese nur, wenn sie die geheime Parole aus Ziffern nicht vergessen haben. Zweimal hat Xenia eine falsche Zahl eingegeben, jetzt wird sie nervös. Wenn der dritte Versuch scheitert, stehen wir ohne Bargeld da. Schlimmer noch, der Automat verschlingt schmatzend die Karte. Dann ist unser virtueller Goldschatz unter einer Tarnkappe für uns verschwunden.

„Wie lautet unsere Hausnummer?", fragt mich Xenia aufgeregt.

Tatsächlich, jetzt spuckt der Schlitz das Geld aus. Schnell ergreifen wir die Noten und Münzen. Mit dem Rücken zur Eingangstür teilen wir das Geld auf. Xenia stopft sich ihren Anteil in den Ausschnitt, ich meine Scheine in beide Schuhe. Nur zwei Scheine geringen Werts und ein paar Münzen stecke ich in die Hosentasche, um den Gangstern etwas anbieten zu können. Wenn uns jemand beobachtet, könnte er glatt *uns* für Bankräuber halten, so hastig gehen wir zu Werke.

Wir drehen uns um. Vor der Eingangstür warten inzwischen zwei weitere dunkle Gestalten, dunkler als normale Inder. Hegen sie finstere Absichten? Haben sie es auf uns abgesehen? Ich fasse Xenia am Arm und gehe festen Schrittes mit ihr hinaus, innerlich angespannt und die Hände zu Fäusten geballt. Selbst meine Haut versuche ich zu kontrollieren, damit niemand den Angstschweiß riechen kann. Werden sie sich jetzt auf uns stürzen?

Es sind einige Leute in der Nähe. Wir passieren die beiden Wartenden unbehelligt. Sie tun so, als hätten sie nie etwas Böses im Schilde geführt.

Auf der Rücktour spüre ich die Scheine und meinen schnellen Herzschlag. Aus jedem vorbeifahrenden Auto können Räuber springen. Sie hatten die Bank beobachtet und waren uns unauffällig gefolgt. Wir wären ein gefundenes Fressen für sie.

Als sich die Drehtür des Hotels hinter mir schließt, seufze ich erleichtert auf. Xenia sieht mich erstaunt an: „Hattest du etwa Angst vor einem Überfall?", fragt sie.

Ich antworte lieber nicht.

Herzrasen auf der Autobahn

Wenn man auf indischen Landstraßen eine Geschwindigkeit von mehr als 20 Kilometer pro Stunde erreichen will, dann muss man überholen. Das gekonnte Überholen ist die wichtigste Fähigkeit, die ein indischer Autofahrer beherrschen muss. Eigentlich erfordert das Überholen keine Fähigkeiten – nur Kaltblütigkeit. Ich fühle mich wie beim russischen Roulette. Wer als erster ausweicht, hat verloren. Allerdings stirbt er nicht sofort, sondern landet zuvor im Straßengraben.

Ich setze mich zur Abwechslung nach vorne hinter den Fahrer. Ein alter Ambassador kommt uns auf unserer Spur entgegen; er überholt gerade einen Toyota.

Der Ambassador wird in Indien hergestellt, hatte ich zu meiner großen Überraschung von Mark erfahren. Die Firma Hindustan Motors baut ihn seit 1957 in britischer Lizenz, deshalb heißt er genau Hindustan Ambassador; die Inder nennen ihn liebevoll Amby. Ein neueres Baujahr soll sogar mit bis zu 140 Kilometer pro Stunde davon brausen.

Der schrottige Ambassador vor mir dürfte vielleicht 100 schaffen. Nie wird er den Toyota überholen, denke ich. Er muss sich zurückfallen lassen. Stattdessen beschleunigt er. Unser Fahrer zeigt keine Reaktion. Und nun? Wird der Toyota in den Straßengraben ausweichen? Bus und Amby steuern stur aufeinander zu. Ich halte den Atem an. Gleich wird es krachen. Im letzten Moment bewegt unser Busfahrer das Lenkrad ganz leicht nach rechts. Das ist zu wenig. Schon rauscht der Ambassador knapp an uns vorbei in die schmale Lücke zwischen unserem Bus und dem Toyota; mehr als ein Blatt Papier hätte nicht dazwischengepasst. Kann ein Auto eigentlich die Luft anhalten und sich ganz dünn machen?

Natürlich musste der Ambassador den Toyota bei diesem Manöver behindern, er hat ihn übelst geschnitten. Aber trotzdem gibt es keinen Protest – keine Lichthupe, kein wütendes Gebell eines Horns.

Ich hole tief Luft. Irgendwie muss ich meinen Blutdruck wieder unter Kontrolle bekommen. Besser, ich blicke nicht geradeaus. Ich kann einfach nicht mehr zusehen. Die Überholmanöver wiederholen sich alle paar Minuten. Ich setze mich auf meinen hinteren Platz, von dem aus ich die Landschaft betrachten kann, ohne dass ich mit ansehen muss, was sich vorne abspielt. Ein ungeschriebenes Gesetz lautet: Gib Horn! Horn – so heißt die Hupe hier. Auf jedem LKW steht hinten groß vermerkt: Blow horn. Hup doch, wenn du schneller bist! Und so liegt über den Landstraßen das vielfältige Konzert der blökenden, scheppernden und brummenden, auf jeden Fall akustisch scheuchenden Signalhörner. Gelegentlich sieht man ein Schild am Straßenrand: „No horn!" – Lächerlich!

Irgendwann führt unsere Reise durch Rajasthan über Autobahnen. Endlich können wir durchstarten, denke ich. Aber warum laufen dort Schafe auf der Autobahn? Eine ganze Herde! Das scheint nichts Ungewöhnliches zu sein, denn es passiert immer wieder. Zum Glück lassen sie großzügig die linke Spur frei.

Plötzlich kommt uns ein Geisterfahrer entgegen. Unser Busfahrer bleibt gelassen. Sieht er ihn nicht? Dem ersten folgt sofort ein zweiter Falschfahrer. Langsam erkenne ich das Muster dahinter. Hier handelt es sich, genau genommen, überhaupt nicht um Falschfahrer.

Der Mittelstreifen der Autobahn ist gelegentlich unterbrochen, damit Anwohner keinen Umweg von vielen Kilometern bis zur nächsten Abfahrt fahren müssen. Sie wechseln durch diese Öffnungen im Mittelstreifen auf die andere Fahrbahnseite. Dann fahren sie ein oder zwei Kilometer im Gegenverkehr bis zu ihrem Haus, das direkt an der Autobahn liegt.

Aus meiner Sicht ist dieser offizielle Gegenverkehr auf der Autobahn hoch riskant. Allerdings gebe ich zu: Die indischen Geisterfahrer sparen viel Benzin und CO_2-Ausstoß.

Eine Mindestgeschwindigkeit gibt es offensichtlich nicht auf indischen Autobahnen. Die langsamsten Verkehrsteilnehmer

sind hier die Kamele. Sie ziehen kleine Erntekarren aus Holz.
Mit Zuckerbrot und Peitsche schaffen sie vielleicht zwei Kilometer pro Stunde.

Die Vorderbeine der Kamele sind locker mit einem Seil zusammengebunden; mit den gefesselten Beinen können sie nicht
davonlaufen, wenn sie bei einem überholenden Großlaster
scheuen. So einfach kann man bei Kamelen durchsetzen, dass
sie die zulässige Höchstgeschwindigkeit einhalten.

Niemand regt sich über die gemütlich dahintrottenden Auto-
bahnkamele auf. Immerhin tragen sie positiv zu Indiens guter
Klimabilanz bei.

Die Traktoren mit ihren Erntekarren bewegen sich ein wenig
schneller über die Autobahn als die Kamele. Die zweirädrigen
Anhänger sind mehrere Meter hoch mit Getreide beladen, Sack-
leinen umhüllt die Ladung. Dieser prall gefüllte Sack hängt an
allen Seiten über den Karren, verdeckt die Räder und schleift
am Boden. Mit Seilen wird die Ladung mühsam zusammengehalten – oder auch nicht. Dann läuft die Ladung aus oder
der Karren kippt um. Auf der rechten Spur türmt sich ein großer Kegel aus Getreidekörnern, und daneben hockt ein trauri-
ger Bauer.

Die Autobahn führt regelmäßig und plötzlich durch kleine
Orte. Da hilft nur beherztes und sofortiges Bremsen, denn die
Fußgänger bewegen sich hier so, als wollten sie gemütlich durch
ihr Dorf latschen. Womit sie Recht haben. Als gehöre ihnen
diese Autobahn. Was ebenfalls richtig ist. Schließlich brettern
wir hier durch ihre Vorgärten. Indische Autofahrer respektie-
ren das problemlos.

Direkt neben der Straße haben die ortsansässigen Handwerker
ihre handgefertigten Sicheln und Dreschmaschinen oder Händler
ihr Gemüse ausgebreitet. Dahinter stehen Häuser mit fensterlosen
Boxen, wie Garagen. Sie dienen ihnen als Verkaufs-, Lager- und
teilweise als Fertigungsraum. Über der Box wohnt die Familie.

Am Rande des Ortes ärgern uns Kühe, heilige Kühe natürlich.
Sie haben absolut keine Lust, die Straße freizugeben. Die Stra-

ße gehört ihnen. Sie sind sich dessen bewusst, dass sie die gleichen Verkehrsrechte haben wie zweibeinige Fußgänger. Man darf ihnen nichts tun. Warum nicht? Sunny erklärt es so: „Wenn ein Kind Kuhmilch statt Muttermilch bekommt, dann erfüllt die Kuh Aufgaben der Mutter, sie hat eine Mutterseele. Und eine Mutter tötet man nicht."

Sunny gibt zu, dass es ein Problem mit den alten Kühen gibt. Bauern können es sich nicht leisten, alte Kühe durchzufüttern. Wenn eine alte Kuh nicht mehr zur Arbeit zu gebrauchen ist, schickt der Bauer sie einfach fort. Deshalb streunen überall herrenlose Kühe herum wie herrenlose Hunde. In der Nähe von Märkten sehe ich sie im Abfall nach Fressbarem wühlen, oft erbärmlich abgemagert.

In den Dörfern fallen mir merkwürdige Türmchen neben den Häusern auf. Ganz ähnlich stapelt man bei uns Holzscheite. Nur sind die indischen Türmchen dunkelbraun und bestehen nicht aus Holz. Daneben liegen wohlgeformte Kuhfladen zum Trocknen. Ach ja, nun verstehe ich: Wenn die Fladen getrocknet sind, werden sie aufgestapelt. Oft erhalten die Türmchen ein interessantes, ästhetisches Aussehen, indem man die Fladen schräg legt: eine Schicht nach rechts geneigt, die nächste nach links, so dass sich ein Fischgrätmuster ergibt. Die Familie eines indischen Kleinbauern hat kein Geld für Heizöl, sie benutzt eben den Dung der Tiere als Heizmaterial. Es muss ein reicher Bauer sein, der eine ganze Kuhmisthütte baut.

Plötzlich liegt dicker Dunst über den Feldern. Oder ist es Rauch? Ich bemerke einen Schornstein. Eine Ziegelei, erklärt Sunny. Nach zwei Kilometern der nächste Schornstein. Immer mehr, auch auf der anderen Straßenseite. Wie eine Ziegelei-Plantage, nur dass sie in größerem Abstand stehen als Maispflanzen in einem Maisfeld. Es wird die Gegend sein, in der die Briten ganze Wälder für die Ziegeleien roden ließen. Bodenerosion und Missernten waren die Folge.

Jetzt im März ist Erntezeit in Rajasthan. Überall auf den Feldern sehe ich bunte Kleider. Frauen mähen mit der Sichel das

Getreide und binden es zu Garben. Die Weizengarben werden zu Hocken aufgestellt, wie ich es aus meiner Kindheit auf dem Dorf kenne. Ganz selten entdecke ich einen Mähdrescher. Die Arbeitskraft ist so billig, dass sich der Maschineneinsatz nicht lohnt. Nur einfache Dreschmaschinen stehen in manchen kleinen Orten am Straßenrand zum Verkauf. Zumindest vermute ich, dass es sich bei diesen Metalltrommeln um Dreschmaschinen handelt: Sie werden direkt an der Verkaufsstelle per Hand zusammengeschweißt.

Zwischen Fatehpur Sikri und Agra drosselt unser Fahrer das Tempo. Menschen mit bunten Wimpeln kommen uns auf der anderen Straßenseite entgegen, wie Pfadfinder. Einige von ihnen tragen Stirnbänder. Da sie keine weiße Kleidung tragen, sind es bestimmt Hindus, keine Moslems. Sie gehen einzeln oder in größeren und kleineren Gruppen. Manche schultern ein Kind, andere balancieren Gepäck auf dem Kopf oder schleppen einen Rucksack. Alle wirken trotz der sengenden Hitze fröhlich und aufgekratzt. Vom Straßenrand reicht man ihnen Wasser. Gelegentlich können sie sich an Ständen mit Essen versorgen. Kostenlos, wie mir scheint. In provisorischen Unterständen sind Matten ausgebreitet, auf denen am helllichten Tage und trotz des Trubels jemand schläft.

Nicht nur Massen von Fußgänger ziehen an uns vorbei, sondern auch bunt bemalte Rikschas und bis auf den letzten Stehplatz gefüllte offene Kleinlaster. Einige Fahrgäste lassen ihre Beine über die Bordwand baumeln. Sind sie alle zu einem Kirchentag unterwegs?, überlege ich. Der Vergleich ist nicht einmal unpassend. „Sie pilgern zu einem Fest an einen heiligen Ort", erklärt uns Sunny.

Ich bewundere unseren Busfahrer. Er lässt sich auch in heiklen Situationen nicht aus der Ruhe bringen. Meditiert er beim Fahren? Aus einer Seitenstraße schiebt sich ein PKW noch schnell auf die Kreuzung und kann jetzt weder vor noch zurück. Er blockiert unseren Bus. Nach einer Weile finden sich hilfreiche Hände und schieben drei Rikschas zur Seite.

Endlich kann unser Fahrer Gas geben; er dreht auf und hält zum ersten Mal aggressiv auf entgegenkommende Fahrzeuge. Die langsame Fahrt wegen der vielen Pilger hat ihn offenbar doch genervt. Ich lerne, dass auch Hindus nicht mit ewiger Gleichmut und Gelassenheit ausgestattet sind. Aber vielleicht liegt es daran, dass Gleichmut die oberste *buddhistische* Tugend ist.

Der Fahrer hat sich noch nicht wieder beruhigt, da kommt es zu einem Zwischenfall. Wir werden von der Polizei gestoppt. Ein Polizist schlendert betont langsam direkt vor den Bus. Der Fahrer gibt leicht Gas. Will er den Polizisten überfahren? Der Polizist blickt empört zum Fahrer hoch: Beamtenbeleidigung! Tätlicher Angriff! Mordversuch! Der Fahrer muss aussteigen; seine Papiere werden einer langwierigen Kontrolle unterzogen. Man scheint unseren Fahrer verhaften zu wollen.

Und was wird nun aus uns? Wir wollen doch nicht neben der Autobahn übernachten. Also steigen wir aus und bezeugen vor den Ordnungshütern, dass der Beschuldigte immer gut und vorschriftsmäßig gefahren ist. Die Polizisten sind ungehalten und scheuchen uns zurück in den Bus. Nach einer Stunde kehrt unser Fahrer endlich zurück. Er reißt die Tür auf und lässt sich wütend in seinen Sitz fallen. Mehr als einen Tagesverdienst musste er für das Bußgeld hinlegen.

Einhundertfünfzig Kilometer weiter werden wir aus unserem Halbschlaf gerissen; erneut stoppt uns ein Polizist. Übertretung der vorgeschriebenen Höchstgeschwindigkeit, lautet die Anklage. Nun ja, vielleicht fuhr er 60 statt 50 Kilometer pro Stunde. Auf der Autobahn. Ich habe tiefes Mitleid mit unserem Fahrer. – Kurz vor Delhi hält uns die Polizei ein drittes Mal an. Nirgends ein Blitzer oder ein Radargerät. Trotzdem kassieren sie wieder wegen angeblich überhöhter Geschwindigkeit. Langsam begreife ich, warum die Polizei hier verhasst ist.

Für 204 Kilometer von Agra nach Delhi haben wir 5 ½ Stunden gebraucht.

Achtung, Farbbeutel!

Endlich haben wir Delhi erreicht und fühlen uns bei Vera und Mark wie zu Hause. Nachdem wir ausgiebig von unserer Rundreise berichtet haben, überrascht uns Vera mit einer Ankündigung: „Morgen beginnt das Holi-Fest. Da spritzen die Kinder einen mit gefärbtem Wasser voll. Ich mag es überhaupt nicht, wenn sie mich mit Farbbeuteln bewerfen; die sind mit grellem Farbpulver gefüllt, am liebsten nehmen sie ein krasses Pink. Zieht euch lieber alte Klamotten an, oder kauft euch was Billiges. Die Farbe geht auch beim Waschen nicht mehr raus."

Ich bin Vera für ihren fürsorglichen Tipp dankbar. Allerdings interessiert mich, was es mit dem Holi-Fest auf sich hat. Genaues weiß Vera ausnahmsweise nicht: „Auf jeden Fall ist es ein Lichtfest und hängt wohl mit dem Frühling zusammen." Frühling? Bei sommerlichen Temperaturen um 30 Grad Celsius? Die meisten Bäume tragen grüne Blätter.

„Es gibt auch eine religiöse Tradition", erinnert sich Vera. „Man feiert den Tod der bösen Dämonin Holika. Holi ähnelt dem Karneval in Deutschland: Während des Holi-Festes sind alle gesellschaftlichen Schranken eingerissen, man kennt keinen Respekt vor den Eltern. Die werden genauso eingefärbt wie Angehörige höherer Kasten. – Für Kinder und Jugendliche ist es natürlich ein Heidenspaß, wenn sie die Erwachsenen ungestraft mit Farbbeuteln bewerfen dürfen. Der Farbbeutel platzt, und den Getroffenen umgibt eine Staubwolke. Ärgerlich für den Getroffenen, Anlass zum Jubel bei den Kindern. Ihr könnt euch das Gesicht mit Farbe einschmieren. Dann denken die Kids, ihr seid schon getroffen. Aber vor allem: alte Klamotten tragen."

So vorgewarnt marschieren Xenia und ich los. Ich kaufe mir ein Hemd für einen Euro fünfzig und ziehe Hosen an, die ohnehin schon ein wenig gelitten haben. Schade wäre es um die guten Sandalen. Aber in Badelatschen mag ich nicht herumlaufen.

Am ersten Tag des Holi-Festes wird nachmittags der U-Bahn-betrieb eingestellt. Unterwegs sehen wir viele Erwachsene mit bunten Haaren oder Farbklecksen auf dem T-Shirt. Wir haben Glück und werden nicht bombardiert. Vielleicht stehen Touristen außerhalb der Hierarchie, die an diesem Fest lustvoll bekämpft wird.

Inder lieben Farben immer, nicht nur während des Holi-Festes.

„Kuck dich mal unauffällig um, ein Inder mit roten Haaren", raune ich Xenia zu. Wir sind uns nie sicher, ob hier jemand Deutsch versteht, und sprechen lieber leise.

„Rot? Der hat sich wohl Möhrensaft über den Kopf gekippt", flüstert Xenia.

Wir sind uns einig, dass es keine Inder mit natürlich roten Haaren gibt. Sollten es Nachfahren britischer Kolonialbeamter sein? Schottisches oder irisches Erbe?

„Henna", fällt es Xenia plötzlich ein.

„Das war doch keine Frau, die eben vorüberging!" Ich kenne nur Frauen, die Henna verwenden.

Xenia kennt die Lösung: „Hier färben eben auch Männer ihre Haare mit Henna. Er hatte graue Haare. Das Grau verändert die Hennafarbe zu Orange oder sogar zu Karotte."

Natürlich, als Frau verfügt Xenia über friseurtechnischen Sachverstand.

„Ich erinnere mich: Früher war Henna sehr beliebt bei jungen Frauen. Und warum färben sich hier ältere Männer die Haare?"

Xenia überlegt einen Augenblick. „Die Henna-Farbe soll Fruchtbarkeit und Gesundheit symbolisieren. Vielleicht wandeln sie noch einmal auf Freiers Füßen." Und mit einem Seitenblick auf mein Haar fügt sie schnell hinzu: „Du musst kein Henna nehmen. Ich finde deine grauen Haare schick."

„Danke", sage ich lachend. Aber ich hatte sowieso nicht vor, mir in Indien billiges Henna zu kaufen.

Helle Haut

Eine „Black-is-beautiful!"-Bewegung scheint es in Indien nie gegeben zu haben. Hautaufheller gehören zu den umsatzstärksten Produkten der Kosmetikbranche, ähnlich wie die Anti-Falten-Creme in unserer Gegend. Auf dem Subkontinent ist die Abneigung gegen alles Schwarze tief verwurzelt: Es wird mit böse und schmutzig assoziiert. Die hellhäutigen Einwanderer aus Zentralasien verdrängten vor 3.500 Jahren die dunkelhäutigen eingeborenen Völker, die man pauschal Draviden nennt und die sich in den Süden zurückzogen. Als Unterlegene mussten die Draviden die niedrigsten und schmutzigsten Arbeiten verrichten. Inoffiziell zählen sie noch immer zu den Ausgestoßenen; sie gehören noch nicht einmal der niedrigsten Kaste an.

Aber die Einwanderer vermischten sich mit den Eingeborenen, so dass man heute bei der Hautfarbe alle Farbschattierungen von Weiß bis Schwarz antrifft.

Als normalen Inder betrachtet der Außenstehende einen Menschen mit brauner Haut. Merkwürdig: Wir tun alles, um möglichst noch im tiefsten Winter braune Haut zu zeigen. Die Inderinnen empfinden sie als Makel, als Nähe zu den Eingeborenen der grauen Vorzeit, und führen einen kostspieligen Kampf gegen den dunklen Teint. Ihre Stars müssen hellhäutig sein, um einen Platz in den Herzen der Massen zu erobern.

Im Rollstuhl ins Flugzeug

„Wirst du wirklich fliegen können?", fragt Xenia besorgt. Drei Tage lang trauten wir uns nicht aus dem Haus, weil wir uns immer in unmittelbarer Nähe einer Toilette aufhalten mussten. Imodium wurde uns als Allheilmittel gegen Durchfall angepriesen. Ich war skeptisch, weil es nur die Darmaktivität verlangsamt, aber nichts am Zustand der gestörten Darmflora ändert. Jetzt, vor dem Rückflug, nehme ich es. Hauptsache, ich kann fliegen; ich will nicht in Indien bleiben. Hätte ich bloß nicht von den leckeren Süßigkeiten der indischen Familie gekostet, sie schlugen durch wie Rizinus.

„Na klar kann ich fliegen", erwidere ich großspurig, obwohl mein Magen eine andere Antwort gibt. Die ist glücklicherweise nur für mich verständlich. Es wird wohl kein Problem sein, sich in einer Taxe zum Flughafen kutschieren zu lassen. Sicher, dann kommt die Hürde: Das Gepäck muss ich bis zum Schalter bringen. Aber dafür gibt es Träger, die dankbar für eine noch so kleine Aufgabe sind, Hauptsache, sie wird bezahlt.

Auf der Fahrt zum Flughafen geht es mir nicht gut. Die Nacht war zu kurz. Vielleicht reagierten die Nerven auf die unsichere Lage.

Wir erreichen den Flughafen ohne Zwischenfälle. Kein Abschied von Delhi. Mein Denken wird vom flauen Gefühl in der Magengrube bestimmt. Leider nicht nur das Denken, auch meine Standfestigkeit.

Ich bin heilfroh, als wir eingecheckt haben und das Gepäck los sind. Bloß schnell wieder sitzen, damit ich nicht umkippen kann. Jetzt krümme ich mich in meinem Plastiksitz zusammen, damit sich die Darmmuskeln besser entspannen können. Nur kein dringendes Bedürfnis provozieren; ich kann doch nicht wie ein Obdachloser am Straßenrand die Hosen runterlassen.

„Mal sehen, ob ich beim zollfreien Einkauf noch etwas Schönes finde", verabschiedet sich Xenia. Hoffentlich kommt sie bald wieder. Eine Begleiterin ist etwas sehr Schönes, wenn man mit den Kräften am Ende ist. Aber nur, wenn sie sich auch um einen kümmert.

Langsam dreht sich alles vor meinen Augen. Bloß nicht ohnmächtig werden, solange Xenia einkauft. Wer weiß, wohin sie eine bewusstlose Person schleppen. Dann findet Xenia mich nicht, und wir verpassen den Flug.

Ich rutsche in eine beinahe liegende Position und strecke die Beine von mir. Ein dunkelhaariger Mensch kommt auf mich zu und fragt freundlich: „Ist Ihnen nicht gut?"

Ich bin ihm dankbar; wenigstens einer, der sich um mich kümmert. „Ich habe Angst bewusstlos zu werden. Durchfall, verstehen Sie?"

Er nickt: „Warten Sie einen Augenblick. Ich hole Multivitamintabletten. Die helfen."

Die Aussicht auf Hilfe richtet mich zwar nicht körperlich auf, aber sie hält mich wach. Der dunkelhaarige Mann kommt mit Tabletten und Mineralwasser zurück. Ich bedanke mich bei dem hilfreichen Menschen. Er ist Iraker, verrät er und wünscht mir einen guten Flug.

Mir fällt ein, wie ich damals Indien verließ. Zurück auf dem Hippie-Trail musste ich weite Strecken durch Afghanistan zu Fuß zurücklegen. Blühende Mohnfelder am Wegesrand führten mich in Versuchung. Mit Mohn ließ sich manches leichter ertragen. Die Mohnbauern zeigten Verständnis für Mundraub. Drei Päckchen schwarzen Afghanen erstand ich als Startkapital für ein neues Leben in Deutschland. Kein Problem für den Drogenhund an der türkischen Grenze. So lernte ich nach der Bhagwan-Kommune und dem Kloster Kopan auch einen berüchtigten türkischen Knast im wilden Kurdistan kennen. Mein Blick aus dem vergitterten Fenster zeigte eine andere Landschaft als die von Karl May beschriebene. Ich hätte einen Bogen um Kurdistan machen sollen. Trotzdem: Wie gern wäre ich dort draußen mit Hadschi Halef Omar und mit Kara ben Nemsi geritten!

Monate später wurde ich abgeschoben.

„Ist dir nicht gut?" Ich tauche aus meinen Erinnerungen auf, denn vor mir taucht Xenia auf. Nach ihren Duty-free-Einkäufen wirkt sie sehr entspannt. Ich winke ab, kraftlos – was soll ich meine Energie mit langen Erklärungen verschwenden.

„Bitte hol Hilfe; ich schaffe es nicht alleine in den Flieger", stoße ich matt und leise hervor.

Sie sieht mich ungläubig an. Auf Mitleid darf ich nicht hoffen. Natürlich ist sie überzeugt, dass ich simuliere. Ich kann in ihrem Gesicht lesen; am liebsten würde sie antworten: „Reiß dich zusammen. Dass Männer solche Waschlappen sind. Na, ja, Frauen halten eben mehr aus; sie bringen schließlich die Kinder zur Welt."

Aber sie verkneift sich jeden Kommentar und wendet sich ans Flughafenpersonal. Man verspricht, jemanden vorbeizuschicken. Es wird höchste Zeit: 15 Minuten bis zum Abflug. Es kommt keiner. Nach fünf Minuten verlange ich verzweifelt von Xenia, endlich Hilfe zu holen. Die Zeit scheint zu rasen, es bleiben uns noch drei Minuten. Da steuert eine junge Frau in Uniform einen Rollstuhl auf mich zu.

„Sind Sie überhaupt flugfähig?", fragt sie skeptisch.

„Ja, natürlich", versuche ich möglichst fest zu antworten. Das wäre wohl das Letzte. Sozusagen in letzter Minute auf dem Indira Gandhi International Airport mit Durchfall hängenzubleiben.

Jetzt geht es schnell. Sie schleust mich durch alle Kontrollen bis an Bord. Dort bitte ich die Stewardess um einen Platz in der Nähe der Toilette. Sie spricht Deutsch; ich fühle mich gleich ein bisschen besser. Aber auch sie lässt sich erst einmal versichern, dass ich flugfähig bin. Während des Fluges sieht sie gelegentlich nach mir und erkundigt sich nach meinem Befinden. Ich kann sie beruhigen. Meine Darmmuskeln sind durch das Medikament stillgelegt, ich muss das stille Örtchen nicht ein einziges Mal aufsuchen.

Ein junger Finne mit Turban und der typischen Pumphose des bekehrten Neo-Hindus spricht mich an. Henna-Muster zieren seine Arme und Beine. Offenbar ist er nicht nur Indien-Fan, er ist ein Heiliger geworden.

Ich bin es nicht und berichte von dem Überfall auf uns. Der Finne hebt seine Kurta. Quer über die Brust zieht sich eine frische Narbe. Daneben leuchtet eine weitere runde Narbe. „Ist die von einem Schuss?", frage ich Kevin, den finnischen Neo-Hindu, entsetzt.

„Ja", antwortet er stolz. „Erst haben sie mir den Säbel über die Brust gezogen und dann mit einer Pistole geschossen. Ich schloss mit meinem Leben ab. No fear, sagte ich mir, Gott steht mir bei. Alles hatten sie mir geklaut. Das macht nichts. Man soll sein Herz ohnehin nicht an irdische Güter hängen. Und wenn ich diesen Leib verloren hätte, hätte ich mir einen neuen gesucht."

Spricht der Geist der Erleuchtung aus ihm oder der des Kingfisher-Biers?

So kehren manche Indien-Reisende zurück: ausgeraubt, verletzt und angeschossen, geläutert, voll reicher spiritueller Erfahrung und in Erwartung weiterer schöner Leben nach dem jetzigen. Oder – wenn es sich um Frauen handelt – in einen ungeübt geschlungenen Sari gehüllt und auf Badelatschen wandelnd. Sie legen die Innenflächen ihrer Hände zusammen und grüßen mich mit einem beseelten „Namaste!".

Zu diesen Reisenden gehöre ich nicht – auch nicht nach meinem zweiten Indien-Besuch. Montezumas Rache hat mich nicht erleuchtet. Aber gelernt habe ich trotzdem viel in Indien; mein Blick auf unsere Welt und auf mein eigenes Leben hat sich verändert.

Film- und Literaturtipps

Wer sich eingehender mit Indien beschäftigen möchte, dem empfehle ich folgende Sachbücher, Artikel, Romane, Anthologien und Filme.

1. Sachbücher:

- **„Das alte Indien – Seine Geschichte und seine Kultur"** von Damodar Dharmanand Kosambi. Akademie-Verlag, Berlin (DDR), 1969 (engl. Originalausgabe 1962), 314 S. Das Buch reicht von der Frühgeschichte bis zum beginnenden Mittelalter.
D. D. Kosambi war ein umfassend gebildeter und interessierter Mensch und eine ungewöhnliche Persönlichkeit. Er wurde mit 22 Jahren zum Professor für Mathematik berufen. Mit Albert Einstein diskutierte er über die Geometrie der Allgemeinen Relativitätstheorie. Über einhundert wissenschaftliche Beiträge veröffentlichte er außer in seinem Fachgebiet auch über die Vererbungslehre, über sozioökonomische Analysen, zur Geschichte Indiens und zu Themen aus dem Bereich der Numismatik. Er beherrschte mehr als ein Dutzend fremder Sprachen. Im spanischen Bürgerkrieg kämpfte er in der republikanischen Armee, die Franco-Truppen inhaftierten ihn. Nachdem er in den Dreißiger Jahren einen Textilarbeiter-Streik geleitet hatte, wurde er zu einer Haftstrafe verurteilt. Im Gefängnis erkrankte er an Tuberkulose. Drei Jahre vor seiner Pensionierung wurde er aus politischen Gründen als Leiter der mathematischen Abteilung des Tata Instituts für Grundlagenforschung (vor allem Atom- und Kernforschung) in Bombay entlassen. Er starb 1966.
- **„Geschichte Indiens – Vom 18. bis zum 21. Jahrhundert"** Michael Mann. Paderborn 2005, Schöningh UTB, 431 S., 19,95 Euro.

M. Mann nähert sich seinem Thema nicht von der Vergangenheit her, von klassischen indischen Reichen, von Veden und Mogul-Herrschaft, sondern entlang einzelner Themen, wie Landwirtschaft, Migration, Industrialisierung, Umweltgeschichte und Staatenbildung. Er berücksichtigt auch „Geschichte von unten".

- **„Der koloniale Diskurs und Orte des Gedächtnisses"** von Anil Bhatti (New Delhi), unter *www.kakanien.ac.at.*
Anspruchsvoller Artikel, der sich gegen die Zerstörung kultureller Denkmäler aus der Zeit islamischer Vorherrschaft durch die hindunationalistische Bewegung wendet. Gleichzeitig weist Bhatti auf die Wurzel solcher homogenisierender Bestrebungen in der Kolonialpolitik hin, die die Komplexität Indiens nur als Chaos begriff. Professor Bhatti lehrt am Zentrum für Deutsch-Studien der Jawaharlal Nehru Universität Neu Delhi und ist Präsident der indischen Goethe-Gesellschaft.

- **„Die Inder – Porträt einer Gesellschaft"** von Katharina und Sudhir Kakar. München 2006, C. H. Beck, 206 S., 19,90 Euro.
Auch dieser Band ist inzwischen ein Standardwerk, wobei der berühmte indische Psychoanalytiker (Gastprofessuren weltweit, auch in Berlin) und die deutsche Religionswissenschaftlerin (FU Berlin und Harvard Universität) ihren Gegenstand gut verständlich, aus soziologischer und psychologischer Perspektive untersuchen. Unerlässlich, um das Innenleben der indischen Gesellschaft anhand folgender Themen zu verstehen: Kaste, Sexualität, Spiritualität, Gesundheit und Tod, Konflikt zwischen Hindus und Moslems. Sie zeigen auch, inwieweit traditionelle Werte (Hierarchie, Großfamilie, Tabuisierung von Sexualität) die indischen Menschen prägen, sogar die moderne Mittelschicht (auch hier große Zustimmung zur arrangierten Ehe).

- **„Indien - die barfüßige Großmacht",** Edition Le Monde diplomatique Nr. 7, 2010, Broschur, 112 S., 8,50 Euro. – Sehr gelungene Sammlung aktueller Analysen von engagierten, überwiegend indischen Autorinnen und Autoren.

- „**Aus der Werkstatt der Demokratie**" von Arundhati Roy.
S. Fischer, Frankfurt / M. 2010, 336 S., 19,95 Euro.
Feldstudien aus einer scheiternden Demokratie – Artikel von
2002 bis 2006. A. Roy beschreibt die Diskriminierung der Muslime in Indien und ein wachsendes allgemeines Klima des Miss-
trauens. Um von ihrem gewaltsamen Raffen und den krassen
sozialen Gegensätzen abzulenken, braucht die politische Klasse Indiens einen Feind, als der sich angesichts weltweiter Islam-
feindlichkeit die muslimische Minderheit anbietet. Die Autorin
sieht einen Völkermord an dieser Minderheit heraufziehen.

2. Belletristik:

- „**Der weiße Tiger**" – Roman von Aravind Adiga, München
2008, C. H. Beck, 319 S., 19,90 Euro.
Gegen das Märchen vom sozialen Aufstieg setzt Adiga die bru-
tale Wirklichkeit, dass ein armer indischer Junge nur reich
werden kann, wenn er seine Kollegen erpresst und seinen Ar-
beitgeber ermordet. Verpackt als satirische E-Mails an den chi-
nesischen Ministerpräsidenten, als Ratgeber, wie der erfolg-
reiche indische Kapitalismus funktioniert. (Nicht nur im Titel
auffallende Parallelen zu dem Jugendbuch „Monsun oder der
weiße Tiger" von Klaus Kordon, 1980; 1982 mit dem Friedrich-
Gerstäcker-Preis ausgezeichnet.)
- „**Der Gott der kleinen Dinge**" von Arundhati Roy. Englisch:
1997 (Booker-Preis), deutsch: München 1999 (btb), 379 S., 10
Euro.
Internationaler Bestseller, poetisch, realistisch, phantastisch,
drastisch und teilweise humorvoll.
- „**Zwischen den Welten – Geschichten aus dem modernen
Indien**", hrsg. von Cornelia Zetsche, Frankfurt 2006, Insel-
Verlag, 716 S., 24,80 Euro.
Verdienstvolle und hervorragend edierte Anthologie mit über
50 Autorinnen und Autoren, übersetzt aus den Sprachen Hin-
di, Urdu, Gujarati, Englisch, Marathi, Kannada, Malayalam,

Tamil, Telugu, Bengali, Assamesisch und von im Ausland le-
benden Inderinnen.
- „**For Pepper and Christ**", Historischer Roman von Keki N.
Daruwalla, Penguin Books New Delhi, 2009, 354 S. (engl.),
nominiert für die Shortlist des Commonwealth Writer's Prize
2010.
Der Autor nimmt uns mit an die Küsten des Indischen Ozeans
zurzeit Vasco da Gamas und stellt den Beginn der Kolonisie-
rung aus indischer Sicht dar. Daruwalla hat zahlreiche Gedicht-
bände und drei Bände mit Kurzgeschichten veröffentlicht.

3. Filme:

- „**Slumdog Millionär**" – Englisch-amerikanischer Film von
Danny Boyle mit indischen Schauspielern, in Mumbai gedreht,
nach dem Roman „Rupien! Rupien!" (im Original: „Q & A" =
questions & answers) des indischen Autors Vikas Swarup. Acht
Oscars 2009. Der Aufstieg eines Jungen aus der brutalen Welt
der Straßenkinder in die Fernsehshow „Wer wird Millionär?",
natürlich verpackt in eine Liebesgeschichte. Die Fragen und
Antworten in der Show bieten Anlass für Rückblenden auf
jeweils eine Episode aus dem Leben des Jungen. Der Modera-
tor der Show vermutet Betrug, weil er dem Straßenjungen das
Wissen für die richtigen Antworten nicht zutraut, vor der letzten Frage lässt er den Jungen verhaften. Diesem gelingt es,
obwohl er auf dem Polizeirevier gefoltert wird, seine Geschichte glaubhaft zu erzählen. – Von Aufführungen in Indien wird
berichtet, dass Mittelschicht-Inder weinten, weil sie erst als
Zuschauer dieses Films das Elend um sich herum wahrnah-
men.
- „**Mein Name ist Khan**" - Indischer Film von Karan Shokar,
einem der erfolgreichsten Produzenten von klassischen
Bollywood-Filmen, mit Shah Rukh Khan und Kajol, 2010.
Kino großer Gefühle mit einfacher Botschaft, das bei mir funktioniert hat. Spielt zum größten Teil in den USA und ist ein

typischer New-Bollywood-Film – für den Weltmarkt gedrehter Film aus Indien mit zwei indischen Superstars.

- **„Rocket Singh"**. 2009. Indische Komödie von Shimit Amin, in der der Held in Mumbais IT-Branche eine Revolte auslöst (ebenfalls New Bollywood).

- **„Outsourced - Auf Umwegen zum Glück"** – US-amerikanische Komödie von John Jeffcoat, Kinostart 2008.
Ein amerikanischer Abteilungsleiter wird mit seinem Call Center von Seattle nach Indien ausgelagert. Er sieht sich mit den indischen Widrigkeiten konfrontiert und nimmt schließlich das ihm fremde Indien und seine Menschen an.

Meinhard Schröder

Inhalt

ebenfalls von Meinhard Schröder:

Drei Zimmer für Zwei

Erzählung

Zwei zusammen glückliche, aber getrennt lebende Menschen unterschiedlichen Geschlechts beschließen, in eine gemeinsame Wohnung zu ziehen. Ist dieser Beschluss der Sündenfall, der unvermeidlich zum Kampf der Alltagskulturen führt? Kann eine Beziehung das aushalten?

„Langsam packt mich das Grauen. Die Dielen im dritten Zimmer sind morsch und locker. Das Holz des Fensters zum Hof hinaus ist vom Kondenswasser aufgequollen. In der Küche riecht es nach Gas. Vermutlich sind die Rohre des riesigen antiken Küchenherdes undicht. ‚Ein Altberliner Pferd', nickt die Küchenherrin anerkennend. Aber auch sie kann nicht bestreiten, dass das Ungetüm keinen Platz für Waschmaschine, Herd, Spülmaschine und Kühlschrank lässt.
‚Man wird etwas investieren müssen', fasst sie zusammen. ‚Man wird eine Lebensversicherung auflösen müssen', übersetze ich ihre Schlussfolgerung ins Praktische."

„Drei Zimmer für Zwei" (Paperback), 64 Seiten, ist direkt beim Autor zum Preis von 5,90 zzgl. 0,85 Versandkostenanteil erhältlich. Bestellungen bitte an: autor-m.schroeder@arcor.de

ebenfalls von Meinhard Schröder:

Das Kamel in meinem Garten

und andere an den Kamelhaaren herbei gezogene
Geschichten, Gedichte und Gerüchte, Briefe und
Betrachtungen, Dialoge und Duette, Anklagen und
Selbstbezichtigungen, Enthüllungen und Geheimtipps
über mich und meine Vorfahren, über die Frauen, die
Kinder, die Mäuse, den goldenen Gartenzwerg
und die Welt.

„Das gemeinsame Waschen schmutziger Wäsche mar-
kiert nach dem Soziologen Kaufmann die eigentliche
Paarbildung. Weit verbreitet ist der Glaube, dass zur
Trennung eines Paares das Waschen schmutziger Wäsche gehört. Genau genommen ist das falsch. Sozio-
logisch beginnt die Trennung erst mit der Trennung der
schmutzigen Wäsche. Nur die Benutzung der noch
gemeinsamen Waschmaschine durch die beiden Teile
des zerstrittenen Paares ist erlaubt. Würden sich aber
deren Wäschestücke in der Trommel berühren, so wäre
die Anerkennung des Trennungsjahres in Gefahr."

"Das Kamel in meinem Garten" (Paperback, 192 Seiten, ISBN
978-3-938399-24-8) ist in jeder Buchhandlung oder beim
MyStory Verlag zum Preis von 13,90 € erhältlich

ebenfalls von Meinhard Schröder:

Nach Süden

Reiseerzählungen

Meinhatd Schröder berichtet heiter-ironisch von seinen Reisen in den Süden. In gekonnten Miniaturen fängt er den Zauber des Mittelmeers ein. Aber auch der Humor kommt in seinen Schilderungen nicht zu kurz: Schröder ist ein spöttischer, jedoch nie verletzender Beobachter, der sich als „Innocent abroad" in die Tradition Mark Twains stellt.

"Nach Süden" (Paperback, 212 Seiten, ISBN 978-3-938399-30-9) ist in jeder Buchhandlung oder beim MyStory Verlag zum Preis von 13,90 € erhältlich

---

ebenfalls von Meinhard Schröder

FRAUEN AN DEN HERD!

und andere meist heitere Geschichten
nebst einigen Gedichten

In seinen – von Christine Milde liebevoll illustrierten – Geschichten, Gedichten und Essays beschäftigt sich der Autor u.a. mit Falten bei Frauen, der Zubereitung von Kirschsuppe und der Befindlichkeit von Kiefernstämmen.

"Frauen an den Herd" (Paperback, 248 Seiten, ISBN 978-3-938399-13-2) ist in jeder Buchhandlung oder beim MyStory Verlag zum Preis von 15,90 € erhältlich.